昭明文選卷五十一

【論一】

過秦論一首

賈誼

秦孝公據殽函之固，擁雍州之地，君臣固守，以窺周室，有席卷天下，包舉宇内，囊括四海之意，并吞八荒之心。當是時也，商君佐之，内立法度，務耕織，修守戰之具，外連衡而鬬諸侯。於是秦人拱手而取西河之外。孝公既沒，惠文武昭，蒙故業，因遺策，南取漢中，西舉巴蜀，東割膏腴之地，收要害之郡。諸侯恐懼，會盟而謀弱秦，不愛珍器重寳肥饒之地，以致天下之士，合從締交，相與爲一。當此之時，齊有孟嘗，趙有平原，楚有春申，魏有信陵，此四君者，皆明智而忠信，寬厚而愛人，尊賢而重士，約從離横，兼韓、魏、燕、趙、宋、衛、中山之衆。於是六國之士，有甯越、徐尚、蘇秦、杜赫之屬爲之謀，齊明、周最、陳軫、召滑、樓緩、翟景、蘇厲、樂毅之徒通其意，吴起、孫臏、帶佗、兒良、王廖、田忌、廉頗、趙奢之倫制其兵。嘗以十倍之地，百萬之衆，叩關而攻秦。秦人開關而延敵，九國之師遁逃而不敢進。秦無亡矢遺鏃之費，而天下諸侯已困矣。於是從散約解，争割地而賂秦。秦有餘力而制其弊，追亡逐北，伏尸百萬，流血漂櫓，因利乘便，宰割天下，分裂河山，彊國請伏，弱國入朝。施及孝文王、莊襄王，享國之日淺，國家無事。

及至始皇，奮六世之餘烈，振長策而御宇内，吞二周而亡諸侯，履至尊而制六合，執敲扑以鞭笞天下，威振四海。南取百越之地，以爲桂林象郡。百越之君，俯首係頸，委命下吏。乃使蒙恬北築長城而守藩籬，却匈奴七百餘里，胡人不敢南下而牧馬，士不敢彎弓而報怨。於是廢先王之道，燔百家之言，以愚黔首。隳名城，殺豪俊，收天下之兵聚之咸陽，銷鋒鍉鑄以爲金人十二，以弱天下之民。然後踐華爲城，因河爲池，據億丈之城，臨不測之谿以爲固；良將勁弩，守要害之處，信臣精卒，陳利兵而誰何？天下已定，始皇之心，自以爲關中之固，金城千里，子孫帝王，萬世之業。

始皇既沒，餘威震于殊俗。然而陳涉甕牖繩樞之子，甿隸之人，而遷徙之徒

也，材能不及中庸，非有仲尼、墨翟之賢，陶朱、猗頓之富，躡足行伍之間，俛起阡陌之中，率罷散之卒，將數百之衆，轉而攻秦，斬木爲兵，揭竿爲旗，天下雲集而嚮應，贏糧而景從，山東豪俊，遂並起而亡秦族矣。

且夫天下非小弱也，雍州之地，殽函之固自若也。陳涉之位，非尊於齊、楚、燕、趙、韓、魏、宋、衛、中山之君也；鉏耰棘矜，非銛於鉤戟長鎩也；謫戍之衆，非抗於九國之師也；深謀遠慮，行軍用兵之道，非及曩時之士也。然而成敗異變，功業相反。試使山東之國與陳涉度長絜大，比權量力，則不可同年而語矣。然秦以區區之地，致萬乘之權，招八州而朝同列，百有餘年矣。然後以六合爲家，殽函爲宫，一夫作難而七廟隳，身死人手，爲天下笑者，何也？仁義不施，而攻守之勢異也。

非有先生論一首

東方曼倩

非有先生仕於吴，進不能稱往古以廣主意，退不能揚君美以顯其功，默然無言者三年矣。吴王怪而問之曰：『寡人獲先人之功，寄于衆賢之上，夙興夜寐，未嘗敢怠也。今先生率然高舉，遠集吴地，將以輔治寡人，誠竊嘉之，體不安席，食不甘味，目不視靡曼之色，耳不聽鐘鼓之音，虚心定志，欲聞流議者三年於兹矣。今先生進無以輔治，退不揚主譽，竊爲先生不取也。蓋懷能而不見，是不忠也，見而不行，主不明也。意者寡人殆不明乎？』非有先生伏而唯唯。吴王曰：『可以談矣，寡人將竦意而聽焉。』先生曰：『於戲！可乎哉？可乎哉？談何容易！夫談者有悖於目而佛於耳，謬於心而便於身者，或有說於目、順於耳、快於心而毁於行者，非有明王聖主，孰能聽之矣？』吴王曰：『何爲其然也？「中人以上可以語上也」，先生試言，寡人將覽焉。』

先生對曰：『昔關龍逢深諫於桀，而王子比干直言於紂，此二臣者，皆極慮盡忠，閔主澤不下流，而萬民騷動，故直言其失，切諫其邪者，將以爲君之榮，除主之禍也。今則不然，反以爲誹謗君之行，無人臣之禮，果紛然傷於身，蒙不辜之名，戮及先人，爲天下笑，故曰談何容易！是以輔弼之臣瓦解，而邪諂之人並進，遂及飛廉、惡來革等。三人皆詐僞，巧言利口，以進其身，陰奉彫瑑刻鏤之好，以納其心，務快耳目之欲，以苟容爲度，遂往不戒，身没被戮，宗廟崩弛，國家爲墟，殺戮賢

臣，親近讒夫。《詩》不云乎：「讒人罔極，交亂四國。」此之謂也。故卑身賤體，説色微辭，愉愉呴呴終無益於主上之治，即志士仁人不忍爲也。將儼然作矜莊之色，深言直諫，上以拂人主之邪，下以損百姓之害，則忤於邪主之心，歷於衰世之法。故養壽命之士莫肯進也，遂居深山之間，積土爲室，編蓬爲户，彈琴其中，以詠先王之風，亦可以樂而忘死矣。是以伯夷、叔齊避周，餓于首陽之下，後世稱其仁。如是，邪主之行固足畏也，故曰談何容易！』

於是吴王懼然易容，捐薦去几，危坐而聽。先生曰：『接輿避世，箕子被髮佯狂，此二子者，皆避濁世以全其身者也。使遇明王聖主，得賜清讌之閒，寬和之色，發憤畢誠，圖畫安危，揆度得失，上以安主體，下以便萬民，則五帝三王之道可幾而見也。故伊尹蒙恥辱、負鼎俎、和五味以干湯，太公釣於渭之陽以見文王。心合意同，謀無不成，計無不從，誠得其君也。深念遠慮，引義以正其身，推恩以廣其下，本仁祖誼，褒有德，禄賢能，誅惡亂，總遠方，壹統類，美風俗，此帝王所由昌也。上不變天性，下不奪人倫，則天地和洽，遠方懷之，故號聖王。臣子之職既加矣，於是裂地定封，爵爲公侯，傳國子孫，名顯後世，民到于今稱之，以遇湯與文王也。太公伊尹以如此，龍逄比干獨如彼，豈不哀哉！故曰談何容易！』

於是吴王穆然，俛而深惟，仰而泣下交頤，曰：『嗟乎！余國之不亡也，緜緜連連，殆哉，世之不絶也！』於是正明堂之朝，齊君臣之位，舉賢才，布德惠，施仁義，賞有功；躬親節儉，減後宫之費，損車馬之用；放鄭聲，遠佞人，省庖厨，去侈靡，卑宫館，壞苑囿，填池塹，以與貧民無産業者；開内藏，振貧窮，存耆老，恤孤獨，薄賦斂，省刑罰。行此三年，海内晏然，天下大洽，陰陽和調，萬物咸得其宜；國無災害之變，民無飢寒之色，家給人足，畜積有餘，囹圄空虚；鳳皇來集，麒麟在郊，甘露既降，朱草萌芽，遠方異俗之人，嚮風慕義，各奉其職而來朝賀。故治亂之道，存亡之端，若此易見，而君人者莫肯爲也，臣愚竊以爲過。故《詩》曰『王國克生，惟周之貞，濟濟多士，文王以寧』，此之謂也。

四子講德論一首 并序

王子淵

褒既爲益州刺史王襄作中和樂職宣布之詩，又作傳，名曰四子講德，以明其意

焉。

微斯文學問於虛儀夫子曰：『蓋聞國有道，貧且賤焉，恥也。今夫子閉門距躍，專精趨學有日矣。幸遭聖主平世，而久懷寶，是伯牙去鍾期，而舜、禹遁帝堯也。於是欲顯名號，建功業，不亦難乎？』

夫子曰：『然，有是言也。夫蠢蠢終日經營，不能越階序，附驥尾則涉千里，攀鴻翮則翔四海。僕雖嚚頑，願從足下。雖然，何由而自達哉？』

文學曰：『陳懇誠於本朝之上，行話談於公卿之門。』

夫子曰：『無介紹之道，安從行乎公卿？』

文學曰：『何爲其然也？昔甯戚商歌以干齊桓，越石負芻而寤晏嬰，非有積素累舊之歡，皆塗覯卒遇，而以爲親者也。故毛嬙西施，善毀者不能蔽其好；嫫姆倭傀，善譽者不能掩其醜。苟有至道，何必介紹？』

夫子曰：『咨，夫特達而相知者，千載之一遇也。招賢而處友者，衆士之常路也。是以空柯無刃，公輸不能以斲；但懸曼矰，蒲苴不能以射。故膺騰撇波而濟水，不如乘舟之逸也；衝蒙涉田而能致遠，未若遵塗之疾也。才蔽於無人，行衰於寡黨，此古今之患，唯文學慮之。』

文學曰：『唯唯，敬聞命矣。』

於是相與結侶，攜手俱遊，求賢索友，歷于西州。有二人焉，乘輅而歌。倚輗而聽之：詠歎中雅，轉運中律，嘽緩舒繹，曲折不失節。問歌者爲誰？則所謂浮遊先生陳丘子者也。於是以士相見之禮友焉。

禮文既集，文學、夫子降席而稱曰：『俚人不識，寡見尠聞，曩從末路，望聽玉音，竊動心焉。敢問所歌何詩？請聞其說。』浮遊先生陳丘子曰：『所謂中和樂職宣布之詩，益州刺史之所作也。刺史見太上聖明，股肱竭力，德澤洪茂，黎庶和睦，天人並應，屢降瑞福，故作三篇之詩以歌詠之也。』

文學曰：『君子動作有應，從容得度，南容三復白珪，孔子覩其慎戒；太子擊誦晨風，文侯諭其指意。今吾子何樂此詩而詠之也？』

先生曰：『夫樂者，感人密深，而風移俗易。吾所以詠歌之者，美其君術明而

臣道得也。君者中心，臣者外體。外體作，然後知心之好惡；臣下動，然後知君之節趨。好惡不形，則是非不分，節趨不立，則功名不宣。故美玉藴於碔砆，凡人視之怢焉，良工砥之，然後知其和寶也。精練藏於鑛朴，庸人視之忽焉，巧冶鑄之，然後知其幹也。況乎聖德巍巍蕩蕩，民氓所不能命哉！是以刺史推而詠之，揚君德美，深乎洋洋，罔不覆載，紛紜天地，寂寥宇宙。明君之惠顯，忠臣之節究。皇唐之世，何以加茲！是以每歌之，不知老之將至也。』

文學曰：『《書》云：迪一人使四方若卜筮。夫忠賢之臣，導主志，承君惠，攄盛德而化洪，天下安瀾，比屋可封，何必歌詠詩賦可以揚君哉？愚竊惑焉。』

浮遊先生色勃眥溢，曰：『是何言與？昔周公詠文王之德而作清廟，建爲《頌》首；吉甫歎宣王穆如清風，列于《大雅》。夫世衰道微，僞臣虚稱者，殆也。世平道明，臣子不宣者，鄙也。鄙殆之累，傷乎王道。故自刺史之來也，宣布詔書，勞來不怠，令百姓遍曉聖德，莫不霑濡。厖眉耇耆之老，咸愛惜朝夕，願濟須臾，且觀大化之淳流。於是皇澤豐沛，主恩滿溢，百姓歡欣，中和感發，是以作歌而詠之也。傳曰：「詩人感而後思，思而後積，積而後滿，滿而後作，言之不足，故嗟歎之，嗟歎之不足，故詠歌之，詠歌之不厭，不知手之舞之足之蹈之也。」此臣子於君父之常義，古今一也。今子執分寸而罔億度，處把握而却寥廓，乃欲圖大人之樞機。道方伯之失得，不亦遠乎？』

陳丘子見先生言切，恐二客慙，膝步而前曰：『先生詳之：行潦暴集，江海不以爲多；鰌鱓並逃，九罭不以爲虚。是以許由匿堯而深隱，唐氏不以衰；夷齊恥周而遠餓，文武不以卑。夫青蠅不能穢垂棘，邪論不能惑孔墨。今刺史質敏以流惠，舒化以揚名，采詩以顯至德，歌詠以董其文，受命如絲，明之如緡，甘棠之風，可倚而俟也。二客雖室計沮議，何傷？』顧謂文學夫子曰：『先生微矜於談道，又不讓乎當仁，亦未巨過也。願二子措意焉。』

夫子曰：『否。夫雷霆必發，而潛底震動，枹鼓鏗鏘，而介士奮竦。故物不震不發，士不激不勇。今文學之言，欲以議愚感敵，舒先生之憤，願二生亦勿疑。』於是文繹復集，乃始講德。

文學夫子曰：『昔成康之世，君之德與？臣之力也？』

先生曰：『非有聖智之君，惡有甘棠之臣？故虎嘯而風寥戾，龍起而致雲氣，蟋蟀俟秋吟，蜉蝣出以陰。《易》曰：飛龍在天，利見大人。鳴聲相應，仇偶相從。人由意合，物以類同。是以聖主不遍窺望而視以明，不殫傾耳而聽以聰。何則？淑人君子，人就者衆也。故千金之裘，非一狐之腋；大厦之材，非一丘之木；太平之功，非一人之略也。

『蓋君爲元首，臣爲股肱，明其一體，相待而成。有君而無臣，春秋刺焉。三代以上，皆有師傅；五伯以下，各自取友。齊桓有管鮑隰甯，九合諸侯，一匡天下。晉文公有咎犯趙衰，取威定霸，以尊天子。秦穆有王由五羖，攘却西戎，始開帝緒。楚莊有叔孫子反，兼定江淮，威震諸夏。勾踐有種蠡泄庸，剋滅彊吴，雪會稽之恥。魏文有段干田翟，秦人寢兵，折衝萬里。燕昭有郭隗樂毅，夷破彊齊，困閔於莒。夫以諸侯之細，功名猶尚若此，而況帝王選於四海，羽翼百姓哉！

『故有賢聖之君，必有明智之臣。欲以積德，則天下不足平也。欲以立威，則百蠻不足攘也。今聖主冠道德，履純仁，被六藝，佩禮文，屢下明詔，舉賢良，求術士，招異倫，拔俊茂。是以海内歡慕，莫不風馳雨集，襲雜並至，填庭溢闕。含淳詠德之聲盈耳，登降揖讓之禮極目，進者樂其條暢，怠者欲罷不能。偃息匍匐乎詩書之門，遊觀乎道德之域，咸絜身修思，吐情素而披心腹，各悉精鋭以貢忠誠，允願推主上，弘風俗而騁太平，濟濟乎多士，文王所以寧也。

『若乃美政所施，洪恩所潤，不可究陳。舉孝以篤行，崇能以招賢，去煩蠲苛以綏百姓，禄勤增奉以厲貞廉。減膳食，卑宫觀，省田官，損諸苑，踈繇役，振乏困，恤民災害，不遑遊宴。閔耄老之逢辜，憐縗絰之服事，惻隱身死之腐人，悽愴子弟之縲匿。恩及飛鳥，惠加走獸，胎卵得以成育，草木遂其零茂。愷悌君子，民之父母，豈不然哉？

『先生獨不聞秦之時耶？違三王，背五帝，滅詩書，壞禮義；信任群小，憎惡仁智，詐僞者進達，佞諂者容人。宰相刻峭，大理峻法。處位而任政者，皆短於仁義，長於酷虐，狼摯虎攫，懷殘秉賊。其所臨莅，莫不肌栗慴伏，吹毛求疵，並施螯

毒。百姓征伀，無所措其手足。嗷嗷愁怨，遂亡秦族。是以養雞者不畜貍，牧獸者不育豺，樹木者憂其蠹，保民者除其賊。故大漢之爲政也，崇簡易，尚寬柔，進淳仁，舉賢才，上下無怨，民用和睦。

『今海内樂業，朝廷淑清。天符既章，人瑞又明。品物咸亨，山川降靈。神光燿暉，洪洞朗天。鳳皇來儀，翼翼邕邕。群鳥並從，舞德垂容。神雀仍集，麒麟自至。甘露滋液，嘉禾櫛比。大化隆洽，男女條暢。家給年豐，咸則三壤。豈不盛哉！昔文王應九尾狐而東夷歸周，武王獲白魚而諸侯同辭，周公受秬鬯而鬼方臣，宣王得白狼而夷狄賓。夫名自正而事自定也。今南郡獲白虎，亦偃武與文之應也。獲之者張武，武張而猛服也。是以北狄賓洽，邊不恤寇，甲士寢而旌旗仆也。』

文學夫子曰：『天符既聞命矣，敢問人瑞。』

先生曰：『夫匈奴者，百蠻之最彊者也。天性憍蹇，習俗傑暴，賤老貴壯，氣力相高。業在攻伐，事在獵射，兒能騎羊，走箭飛鏃，逐水隨畜，都無常處。鳥集獸散，往來馳騖，周流曠野，以濟嗜欲。其耒耜則弓矢鞍馬，播種則扞弦掌拊，收秋則奔

狐馳兔，穫刈則顛倒殪仆。追之則奔遁，釋之則爲寇。是以三王不能懷，五伯不能綏，驚邊扤士，屢犯芻蕘，詩人所歌，自古患之。今聖德隆盛，威靈外覆，日逐舉國而歸德，單于稱臣而朝賀。乾坤之所開，陰陽之所接，編結沮顔，燋齒梟瞯，翦髮黥首，文身裸袒之國，靡不奔走貢獻，懽忻來附，婆娑嘔吟，鼓掖而笑。夫鴻均之世，何物不樂？飛鳥翕翼，泉魚奮躍。是以刺史感懣舒音，而詠至德。鄙人黯淺，不能究識，敬遵所聞，未剋殫焉。』

於是二客醉于仁義，飽于盛德，終日仰歎，怡懌而悅服。

昭明文選卷五十二

【論二】

王命論一首　　班叔皮

昔在帝堯之禪曰：『咨爾舜，天之曆數在爾躬。』舜亦以命禹。暨于稷契，咸佐唐虞，光濟四海，奕世載德。至于湯武，而有天下。雖其遭遇異時，禪代不同，至于應天順人，其揆一焉。是故劉氏承堯之祚，氏族之世，著于春秋。唐據火德，而漢紹之。始起沛澤，則神母夜號，以彰赤帝之符。由是言之，帝王之祚，必有明聖顯懿之德，豐功厚利積累之業，然後精誠通於神明，流澤加於生民。故能爲鬼神所福饗，天下所歸往。未見運世無本，功德不紀，而得倔起在此位者也。世俗見高祖興於布衣，不達其故，以爲適遭暴亂，得奮其劍，遊說之士，至比天下於逐鹿，幸捷而得之。不知神器有命，不可以智力求。悲夫！此世之所以多亂臣賊子者也。若然者，豈徒闇於天道哉？又不覩之於人事矣！

夫餓饉流隸，飢寒道路，思有短褐之襲，儋石之蓄，所願不過一金，終於轉死溝壑。何則？貧窮亦有命也。況乎天子之貴，四海之富，神明之祚，可得而妄處哉？故雖遭罹戹會，竊其權柄，勇如信布，強如梁籍，成如王莽，然卒潤鑊伏鑕，烹醢分裂，又況幺麼不及數子，而欲闇干天位者也。是故駑蹇之乘，不騁千里之塗；鷰雀之疇，不奮六翮之用；楶棁之材不荷棟梁之任，斗筲之子，不秉帝王之重。《易》曰：『鼎折足，覆公餗。』不勝其任也。

當秦之末，豪桀共推陳嬰而王之。嬰母止之曰：『自吾爲子家婦，而世貧賤，卒富貴，不祥。不如以兵屬人，事成，少受其利。不成，禍有所歸。』嬰從其言，而陳氏以寧。王陵之母，亦見項氏之必亡，而劉氏之將興也。是時，陵爲漢將，而母獲於楚。有漢使來，陵母見之，謂曰：『願告吾子，漢王長者，必得天下，子謹事之，無有二心。』遂對漢使伏劍而死，以固勉陵。其後，果定於漢。陵爲宰相封侯。夫以匹婦之明，猶能推事理之致，探禍福之機，全宗祀於無窮，垂册書於春秋，而況大丈夫之事乎？是故窮達有命，吉凶由人。嬰母知廢，陵母知興，審此二者，帝王之分

決矣。

蓋在高祖，其興也有五：一曰帝堯之苗裔，二曰體貌多奇異，三曰神武有徵應，四曰寬明而仁恕，五曰知人善任使。加之以信誠好謀，達於聽受，見善如不及，用人如由己，從諫如順流，趣時如響起。當食吐哺，納子房之策；拔足揮洗，揖酈生之說；悟戍卒之言，斷懷土之情；高四皓之名，割肌膚之愛；舉韓信於行陣，收陳平於亡命。英雄陳力，群策畢舉，此高祖之大略，所以成帝業也。若乃靈瑞符應，又可略聞矣。初劉媪妊高祖而夢與神遇，震電晦冥，有龍蛇之怪。及長而多靈，有異於衆。是以王武感物而折契，吕公覩形而進女；秦皇東遊以厭其氣，吕后望雲而知所處；始受命則白蛇分，西入關則五星聚。故淮陰留侯謂之天授，非人力也。

歷古今之得失，驗行事之成敗，稽帝王之世運，考五者之所謂，取舍不厭斯位，符瑞不同斯度，而苟昧權利，越次妄據，外不量力，內不知命，則必喪保家之主，失天年之壽，遇折足之凶，伏斧鉞之誅。英雄誠知覺寤，畏若禍戒，超然遠覽，淵然深識，收陵嬰之明分，絶信布之覬覦，距逐鹿之瞽說，審神器之有授，貪不可冀，無爲二母之所笑，則福祚流于子孫，天禄其永終矣。

典論論文一首

魏文帝

文人相輕，自古而然。傅毅之於班固，伯仲之間耳，而固小之，與弟超書曰：『武仲以能屬文爲蘭臺令史，下筆不能自休。』夫人善於自見，而文非一體，鮮能備善。是以各以所長，相輕所短。里語曰：『家有弊帚，享之千金。』斯不自見之患也。

今之文人，魯國孔融文舉，廣陵陳琳孔璋，山陽王粲仲宣，北海徐幹偉長，陳留阮瑀元瑜，汝南應瑒德璉，東平劉楨公幹：斯七子者，於學無所遺，於辭無所假，咸以自騁驥騄於千里，仰齊足而並馳。以此相服，亦良難矣。蓋君子審己以度人，故能免於斯累，而作論文。

王粲長於辭賦；徐幹時有齊氣，然粲之匹也。如粲之初征、登樓、槐賦、征思，幹之玄猨、漏卮、圓扇、橘賦，雖張蔡不過也。然於他文未能稱是。琳瑀之章表書記，今之雋也。應瑒和而不壯。劉楨壯而不密。孔融體氣高妙，有過人者，然不能持論，理

不勝詞，以至乎雜以嘲戲，及其所善，楊班儔也。

常人貴遠賤近，向聲背實，又患闇於自見，謂己爲賢。夫文，本同而末異。蓋奏議宜雅，書論宜理，銘誄尚實，詩賦欲麗。此四科不同，故能之者偏也；唯通才能備其體。

文以氣爲主，氣之清濁有體，不可力強而致。譬諸音樂，曲度雖均，節奏同檢；至於引氣不齊，巧拙有素，雖在父兄，不能以移子弟。

蓋文章經國之大業，不朽之盛事。年壽有時而盡，榮樂止乎其身。二者必至之常期，未若文章之無窮。是以古之作者，寄身於翰墨，見意於篇籍，不假良史之辭，不託飛馳之勢，而聲名自傳於後。故西伯幽而演《易》，周旦顯而制《禮》，不以隱約而弗務，不以康樂而加思。夫然，則古人賤尺璧而重寸陰，懼乎時之過已。而人多不強力，貧賤則懾於飢寒，富貴則流於逸樂，遂營目前之務，而遺千載之功。日月逝於上，體貌衰於下，忽然與萬物遷化，斯志士之大痛也！融等已逝，唯幹著論，成一家言。

六代論一首　曹元首

昔夏殷周之歷世數十，而秦二世而亡。何則？三代之君與天下共其民，故天下同其憂；秦王獨制其民，故傾危而莫救。夫與人共其樂者，人必憂其憂；與人同其安者，人必拯其危。先王知獨治之不能久也，故與人共治之；知獨守之不能固也，故與人共守之。兼親疏而兩用，參同異而並進。是以輕重足以相鎮，親疏足以相衛，并兼路塞，逆節不生。及其衰也，桓文帥禮；苞茅不貢，齊師伐楚；宋不城周，晉戮其宰。王綱弛而復張，諸侯傲而復肅。二霸之後，寖以陵遲。吳楚憑江，負固方城，雖心希九鼎，而畏迫宗姬，姦情散於胸懷，逆謀消於脣吻，斯豈非信重親戚，任用賢能，枝葉碩茂，本根賴之與？自此之後，轉相攻伐。吳并於越，晉分爲三，魯滅於楚，鄭兼於韓。暨乎戰國，諸姬微矣，唯燕衛獨存。然皆弱小，西迫強秦，南畏齊、楚，救於滅亡，匪遑相恤。至於王赧，降爲庶人，猶枝幹相持，得居虛位。海內無主，四十餘年。秦據勢勝之地，騁譎詐之術，征伐關東，蠶食九國。至於始皇，乃定天位。曠日若彼，用力若此，豈非深根固蒂，不拔之道乎？《易》曰：『其亡其

亡，繫于苞桑。』周德其可謂當之矣。

秦觀周之弊，將以爲以弱見奪，於是廢五等之爵，立郡縣之官，棄禮樂之教，任苛刻之政。子弟無尺寸之封，功臣無立錐之土，内無宗子以自毗輔，外無諸侯以爲蕃衛。仁心不加於親戚，惠澤不流於枝葉，譬猶芟刈股肱，獨任胸腹；浮舟江海，捐棄楫棹。觀者爲之寒心，而始皇晏然，自以爲關中之固，金城千里，子孫帝王萬世之業也。豈不悖哉！是時，淳于越諫曰：『臣聞殷、周之王，封子弟功臣，千有餘歲。今陛下君有海内，而子弟爲匹夫，卒有田常六卿之臣，而無輔弼，何以相救？事不師古而能長久者，非所聞也。』始皇聽李斯偏說而絀其義。至身死之日，無所寄付，委天下之重於凡夫之手，託廢立之命於奸臣之口，至令趙高之徒，誅鋤宗室。胡亥少習剋薄之教，長遵凶父之業，不能改制易法，寵任兄弟，而乃師謨申商，諮謀趙高，自幽深宫，委政讒賊，身殘望夷，求爲黔首，豈可得哉？遂乃郡國離心，衆庶潰叛，勝廣唱之於前，劉項斃之於後。向使始皇納淳于之策，抑李斯之論，割裂州國，分王子弟，封三代之後，報功臣之勞，土有常君，民有定主，枝葉相扶，首尾爲用，雖使子孫有失道之行，時人無湯武之賢，姦謀未發，而身已屠戮，何區區之陳項，而復得措其手足哉？故漢祖奮三尺之劍，驅烏集之衆，五年之中，而成帝業。自開闢以來，其興功立勳，未有若漢祖之易者也。夫伐深根者難爲功，摧枯朽者易爲力，理勢然也。

漢鑒秦之失，封植子弟。及諸吕擅權，圖危劉氏，而天下所以不能傾動，百姓所以不易心者，徒以諸侯強大，磐石膠固，東牟朱虚授命於内，齊代吴楚作衛於外故也。向使高祖踵亡秦之法，忽先王之制，則天下已傳，非劉氏有也。然高祖封建，地過古制，大者跨州兼域，小者連城數十，上下無別，權侔京室，故有吴楚七國之患。賈誼曰：『諸侯強盛，長亂起姦。夫欲天下之治安，莫若衆建諸侯而少其力。令海内之勢，若身之使臂，臂之使指，則下無背叛之心，上無誅伐之事。』文帝不從。至於孝景猥用朝錯之計，削黜諸侯。親者怨恨，疏者震恐，吴楚唱謀，五國從風。兆發高祖，釁成文景，由寬之過制，急之不漸故也。所謂末大必折，尾大難掉。尾同於體，猶或不從，況乎非體之尾，其可掉哉？

武帝從主父之策，下推恩之命。自是之後，齊分爲七，趙分爲六，淮南三割，梁代五分，遂以陵遲，子孫微弱，衣食租稅，不豫政事，或以酎金免削，或以無後國除。至於成帝，王氏擅朝。劉向諫曰：『臣聞公族者，國之枝葉。枝葉落，則本根無所庇蔭。方今同姓疏遠，母黨專政，排擯宗室，孤弱公族，非所以保守社稷，安固國嗣也。』其言深切，多所稱引。成帝雖悲傷歎息而不能用。至乎哀平，異姓秉權，假周公之事，而爲田常之亂。高拱而竊天位，一朝而臣四海，漢宗室王侯，解印釋綬，貢奉社稷，猶懼不得爲臣妾，或乃爲之符命，頌莽恩德，豈不哀哉！由斯言之，非宗子獨忠孝於惠文之間，而叛逆於哀平之際也，徒以權輕勢弱，不能有定耳。

賴光武皇帝挺不世之姿，禽王莽於已成，紹漢祀於既絕，斯豈非宗子之力耶？而曾不鑒秦之失策，襲周之舊制，踵亡國之法，而僥倖無疆之期。至於桓靈，奄豎執衡，朝無死難之臣，外無同憂之國，君孤立於上，臣弄權於下，本末不能相御，身手不能相使。由是天下鼎沸，姦凶並爭，宗廟焚爲灰燼，宮室變爲蓁藪。

魏太祖武皇帝，躬聖明之資，兼神武之略，恥王綱之廢絕，愍漢室之傾覆，龍飛譙沛，鳳翔兖豫，掃除凶逆，剪滅鯨鯢。迎帝西京，定都潁邑。德動天地，義感人神。漢氏奉天，禪位大魏。大魏之興，於今二十有四年矣。觀五代之存亡，而不用其長策；覩前車之傾覆，而不改其轍迹。子弟王空虛之地，君有不使之民；宗室竄於閭閻，不聞邦國之政。權均匹夫，勢齊凡庶，内無深根不拔之固，外無盤石宗盟之助，非所以安社稷爲萬代之業也。且今之州牧、郡守，古之方伯、諸侯，皆跨有千里之土，兼軍武之任，或比國數人，或兄弟並據。而宗室子弟，曾無一人間厠其間，與相維持，非所以強榦弱枝，備萬一之慮也。今之用賢，或超爲名都之主，或爲偏師之帥。而宗室有文者必限以小縣之宰，有武者必置於百人之上，使夫廉高之士，畢志於衡軛之内，才能之人，恥與非類爲伍，非所以勸進賢能，襃異宗族之禮也。

夫泉竭則流涸，根朽則葉枯。枝繁者蔭根，條落者本孤。故語曰：『百足之蟲，至死不僵，扶之者衆也。』此言雖小，可以譬大。且墉基不可倉卒而成，威名不可一朝而立。皆爲之有漸，建之有素。譬之種樹，久則深固其根本，茂盛其枝葉。若造

次徙於山林之中，植於宮闕之下，雖壅之以黑墳，暖之以春日，猶不救於枯槁，何暇繁育哉？夫樹猶親戚，土猶士民，建置不久，則輕下慢上，平居猶懼其離叛，危急將如之何？是聖王安而不逸，以慮危也；存而設備，以懼亡也。故疾風卒至，而無摧拔之憂；天下有變，而無傾危之患矣。

博弈論一首

韋弘嗣

蓋君子恥當年而功不立，疾沒世而名不稱，故曰：『學如不及，猶恐失之。』是以古之志士，悼年齒之流邁，而懼名稱之不建也。勉精厲操，晨興夜寐，不遑寧息。經之以歲月，累之以日力。若甯越之勤，董生之篤，漸漬德義之淵，棲遲道藝之域。且以西伯之聖，姬公之才，猶有日昃待旦之勞，故能隆興周道，垂名億載。況在臣庶，而可以已乎？

歷觀古今功名之士，皆有積累殊異之迹，勞神苦體，契闊勤思，平居不惰其業，窮困不易其素。是以卜式立志於耕牧，而黃霸受道於囹圄，終有榮顯之福，以成不朽之名。故山甫勤於夙夜，而吳漢不離公門，豈有遊惰哉？

今世之人，多不務經術，好翫博弈，廢事棄業，忘寢與食，窮日盡明，繼以脂燭。當其臨局交爭，雌雄未決，專精銳意，神迷體倦，人事曠而不脩，賓旅闕而不接，雖有太牢之饌，韶夏之樂，不暇存也。至或賭及衣物，徙棊易行，廉恥之意弛，而忿戾之色發。然其所志不出一枰之上，所務不過方罫之間；勝敵無封爵之賞，獲地無兼土之實。技非六藝，用非經國。立身者不階其術，徵選者不由其道。求之於戰陣，則非孫吳之倫也；考之於道藝，則非孔氏之門也；以變詐爲務，則非忠信之事也；以劫殺爲名，則非仁者之意也。而空妨日廢業，終無補益。是何異設木而擊之，置石而投之哉！且君子之居室也，勤身以致養；其在朝也，竭命以納忠；臨事且猶旰食，而何暇博弈之足耽？夫然，故孝友之行立，貞純之名章也。

方今大吳受命，海內未平，聖朝乾乾，務在得人；勇略之士，則受熊虎之任；儒雅之徒，則處龍鳳之署。百行兼苞，文武並騖。博選良才，旌簡髦俊。設程試之科，垂金爵之賞。誠千載之嘉會，百世之良遇也。當世之士，宜勉思至道，愛功惜力，以佐明時。使名書史籍，勳在盟府。乃君子之上務，當今之先急也。

夫一木之枰，孰與方國之封；枯棊三百，孰與萬人之將。袞龍之服，金石之樂，足以兼棊局而貿博弈矣。假令世士，移博弈之力用之於詩書，是有顏閔之志也；用之於智計，是有良平之思也；用之於資貨，是有猗頓之富也；用之於射御，是有將帥之備也。如此，則功名立而鄙賤遠矣。

昭明文選卷五十三

【論三】

養生論一首

嵇叔夜

世或有謂神仙可以學得，不死可以力致者；或云上壽百二十，古今所同，過此以往，莫非妖妄者。此皆兩失其情，請試粗論之。

夫神仙雖不目見，然記籍所載，前史所傳，較而論之，其有必矣。似特受異氣，禀之自然，非積學所能致也。至於導養得理，以盡性命，上獲千餘歲，下可數百年，可有之耳。而世皆不精，故莫能得之。何以言之？夫服藥求汗，或有弗獲；而愧情一集，渙然流離。終朝未餐，則囂然思食；而曾子銜哀，七日不飢。夜分而坐，則低迷思寢；內懷殷憂，則達旦不瞑。勁刷理鬢，醇醴發顏，僅乃得之；壯士之怒，赫然殊觀，植髮衝冠。由此言之，精神之於形骸，猶國之有君也。神躁於中，而形喪於外，猶君昏於上，國亂於下也。

夫爲稼於湯之世，偏有一溉之功者，雖終歸燋爛，必一溉者後枯。然則一溉之益，固不可誣也。而世常謂一怒不足以侵性，一哀不足以傷身，輕而肆之，是猶不識一溉之益，而望嘉穀於旱苗者也。是以君子知形恃神以立，神須形以存，悟生理之易失，知一過之害生。故脩性以保神，安心以全身，愛憎不棲於情，憂喜不留於意，泊然無感，而體氣和平。又呼吸吐納，服食養身，使形神相親，表裏俱濟也。

夫田種者，一畝十斛，謂之良田，此天下之通稱也。不知區種可百餘斛。田種一也，至於樹養不同，則功收相懸。謂商無十倍之價，農無百斛之望，此守常而不變者也。且豆令人重，榆令人瞑，合歡蠲忿，萱草忘憂，愚智所共知也。薰辛害目，豚魚不養，常世所識也。蝨處頭而黑，麝食柏而香；頸處險而癭，齒居晉而黃。推此而言，凡所食之氣，蒸性染身，莫不相應。豈惟蒸之使重而無使輕，害之使闇而無使明，薰之使黃而無使堅，芬之使香而無使延哉？故神農曰『上藥養命，中藥養性』者，誠知性命之理，因輔養以通也。而世人不察，惟五穀是見，聲色是耽。目惑玄黃，耳務淫哇。滋味煎其府藏，醴醪鬻其腸胃。香芳腐其骨髓，喜怒悖其正氣。思

慮銷其精神，哀樂殃其平粹。

夫以蕞爾之軀，攻之者非一塗，易竭之身，而外内受敵，身非木石，其能久乎？其自用甚者，飲食不節，以生百病；好色不倦，以致乏絶；風寒所災，百毒所傷，中道夭於衆難。世皆知笑悼，謂之不善持生也。至于措身失理，亡之於微，積微成損，積損成衰，從衰得白，從白得老，從老得終，悶若無端。中智以下，謂之自然。縱少覺悟，咸歎恨於所遇之初，而不知慎衆險於未兆。是由桓侯抱將死之疾，而怒扁鵲之先見，以覺痛之日，爲受病之始也。害成於微而救之於著，故有無功之治；馳騁常人之域，故有一切之壽。仰觀俯察，莫不皆然。以多自證，以同自慰，謂天地之理盡此而已矣。縱聞養生之事，則斷以所見，謂之不然。其次狐疑，雖少庶幾，莫知所由。其次，自力服藥，半年一年，勞而未驗，志以厭衰，中路復廢。或益之以畎澮，而泄之以尾閭。欲坐望顯報者，或抑情忍欲，割棄榮願，而嗜好常在耳目之前，所希在數十年之後，又恐兩失，内懷猶豫，心戰於内，物誘於外，交賒相傾，如此復敗者。

夫至物微妙，可以理知，難以目識，譬猶豫章，生七年然後可覺耳。今以躁競之心，涉希静之塗，意速而事遲，望近而應遠，故莫能相終。夫悠悠者既以未效不求，而求者以不專喪業，偏恃者以不兼無功，追術者以小道自溺，凡若此類，故欲之者萬無一能成也。善養生者則不然矣。清虚静泰，少私寡欲。知名位之傷德，故忽而不營，非欲而彊禁也。識厚味之害性，故棄而弗顧，非貪而後抑也。外物以累心不存，神氣以醇白獨著，曠然無憂患，寂然無思慮。又守之以一，養之以和，和理日濟，同乎大順。然後蒸以靈芝，潤以醴泉，晞以朝陽，綏以五絃，無爲自得，體妙心玄，忘歡而後樂足，遺生而後身存。若此以往，恕可與羨門比壽，王喬争年，何爲其無有哉？

運命論一首

李蕭遠

夫治亂，運也；窮達，命也；貴賤，時也。故運之將隆，必生聖明之君。聖明之君，必有忠賢之臣。其所以相遇也，不求而自合；其所以相親也，不介而自親。唱之而必和，謀之而必從，道德玄同，曲折合符，得失不能疑其志，讒構不能離其交，

然後得成功也。其所以得然者，豈徒人事哉？授之者天也，告之者神也，成之者運也。

夫黃河清而聖人生，里社鳴而聖人出，群龍見而聖人用。故伊尹，有莘氏之媵臣也，而阿衡於商。太公，渭濱之賤老也，而尚父於周。百里奚在虞而虞亡，在秦而秦霸，非不才於虞而才於秦也。張良受黃石之符，誦三略之說，以遊於群雄，其言也，如以水投石，莫之受也；及其遭漢祖，其言也，如以石投水，莫之逆也。非張良之拙說於陳項，而巧言於沛公也。然則張良之言一也，不識其所以合離？合離之由，神明之道也。故彼四賢者，名載於籙圖，事應乎天人，其可格之賢愚哉？孔子曰：『清明在躬，氣志如神。嗜慾將至，有開必先。天降時雨，山川出雲。』《詩》云：『惟嶽降神，生甫及申；惟申及甫，惟周之翰。』運命之謂也。豈惟興主，亂亡者亦如之焉。幽王之惑褒女也，祆始於夏庭。曹伯陽之獲公孫彊也，徵發於社宮。叔孫豹之暱豎牛也，禍成於庚宗。吉凶成敗，各以數至。咸皆不求而自合，不介而自親矣。

昔者，聖人受命河洛曰：以文命者，七九而衰；以武興者，六八而謀。及成王定鼎於郟鄏，卜世三十，卜年七百，天所命也。故自幽厲之間，周道大壞，二霸之後，禮樂陵遲。文薄之弊，漸於靈景；辯詐之僞，成於七國。酷烈之極，積於亡秦；文章之貴，棄於漢祖。雖仲尼至聖，顏冉大賢，揖讓於規矩之內，誾誾於洙、泗之上，不能遏其端；孟軻、孫卿體二希聖，從容正道，不能維其末，天下卒至于溺而不可援。夫以仲尼之才也，而器不周於魯衛；以仲尼之辯也，而言不行於定哀；以仲尼之謙也，而見忌於子西；以仲尼之仁也，而取讎於桓魋；以仲尼之智也，而屈厄於陳蔡；以仲尼之行也，而招毀於叔孫。夫道足以濟天下，而不得貴於人；言足以經萬世，而不見信於時；行足以應神明，而不能彌綸於俗；應聘七十國，而不一獲其主；驅驟於蠻夏之域，屈辱於公卿之門，其不遇也如此。及其孫子思，希聖備體，而未之至，封己養高，勢動人主。其所遊歷諸侯，莫不結駟而造門；雖造門猶有不得賓者焉。其徒子夏，升堂而未入於室者也。退老於家，魏文侯師之，西河之人肅然歸德，比之於夫子而莫敢間其言。故曰：治亂，運也；窮達，命

也；貴賤，時也。而後之君子，區區於一主，歎息於一朝。屈原以之沈湘，賈誼以之發憤，不亦過乎！

然則聖人所以爲聖者，蓋在乎樂天知命矣。故遇之而不怨，居之而不疑也。其身可抑，而道不可屈；其位可排，而名不可奪。譬如水也，通之斯爲川焉，塞之斯爲淵焉，升之於雲則雨施，沈之於地則土潤。體清以洗物，不亂於濁；受濁以濟物，不傷於清。是以聖人處窮達如一也。夫忠直之迕於主，獨立之負於俗，理勢然也。故木秀於林，風必摧之；堆出於岸，流必湍之；行高於人，衆必非之。前監不遠，覆車繼軌。然而志士仁人，猶蹈之而弗悔，操之而弗失，何哉？將以遂志而成名也。求遂其志，而冒風波於險塗；求成其名，而歷謗議於當時。彼所以處之，蓋有筭矣。子夏曰：『死生有命，富貴在天。』故道之將行也，命之將貴也，則伊尹、呂尚之興於商、周，百里、子房之用於秦、漢，不求而自得，不徼而自遇矣。道之將廢也，命之將賤也，豈獨君子恥之而弗爲乎？蓋亦知爲之而弗得矣。凡希世苟合之士，蘧蒢戚施之人，俛仰尊貴之顔，逶迤勢利之間，意無是非，讚之如流；言無可否，應之如響。以闚看爲精神，以向背爲變通。勢之所集，從之如歸市；勢之所去，棄之如脫遺。其言曰：名與身孰親也？得與失孰賢也？榮與辱孰珍也？故遂絜其衣服，矜其車徒，冒其貨賄，淫其聲色，脉脉然自以爲得矣。蓋見龍逄、比干之亡其身，而不惟飛廉、惡來之滅其族也。蓋知伍子胥之屬鏤於吳，而不戒費無忌之誅夷於楚也。蓋譏汲黯之白首於主爵，而不懲張湯牛車之禍也。蓋笑蕭望之跋躓於前，而不懼石顯之絞縊於後也。

故夫達者之筭也，亦各有盡矣。曰：凡人之所以奔競於富貴，何爲者哉？若夫立德必須貴乎？則幽厲之爲天子，不如仲尼之爲陪臣也。必須勢乎？則王莽、董賢之爲三公，不如楊雄、仲舒之閴其門也。必須富乎？則齊景之千駟，不如顔回、原憲之約其身也。其爲實乎？則執杓而飲河者，不過滿腹；棄室而灑雨者，不過濡身；過此以往，弗能受也。其爲名乎？則善惡書于史册，毀譽流於千載；賞罰懸於天道，吉凶灼乎鬼神，固可畏也。將以娱耳目、樂心意乎？譬命駕而遊五都之市，則天下之貨畢陳矣。褰裳而涉汶陽之丘，則天下之稼如雲矣。椎紒而守敖庾

海陵之倉，則山坻之積在前矣。扱衽而登鍾山藍田之上，則夜光璵璠之珍可觀矣。夫如是也，爲物甚衆，爲己甚寡，不愛其身，而嗇其神。風驚塵起，散而不止。六疾待其前，五刑隨其後。利害生其左，攻奪出其右，而自以爲見身名之親疏，分榮辱之客主哉。天地之大德曰生，聖人之大寶曰位，何以守位曰仁，何以正人曰義。故古之王者，蓋以一人治天下，不以天下奉一人也。古之仕者，蓋以官行其義，不以利冒其官也。古之君子，蓋恥得之而弗能治也，不恥能治而弗得也。原乎天人之性，核乎邪正之分，權乎禍福之門，終乎榮辱之筭，其昭然矣。故君子舍彼取此。若夫出處不違其時，默語不失其人，天動星迴而辰極猶居其所，璣旋輪轉，而衡軸猶執其中，既明且哲，以保其身，貽厥孫謀，以燕翼子者，昔吾先友，嘗從事於斯矣。

辯亡論上下二首

陸士衡

昔漢氏失御，姦臣竊命，禍基京畿，毒遍宇内，皇綱弛紊，王室遂卑。於是群雄蜂駭，義兵四合。吴武烈皇帝慷慨下國，電發荆南，權略紛紜，忠勇伯世，威稜則夷羿震盪，兵交則醜虜授馘，遂掃清宗祊，蒸禋皇祖。于時雲興之將帶州，飆起之師跨邑；哮闞之群風驅，熊羆之衆霧集。雖兵以義合，同盟戮力，然皆苞藏禍心，阻兵怙亂。或師無謀律，喪威稔寇，忠規武節，未有如此其著者也。

武烈既沒，長沙桓王逸才命世，弱冠秀發。招攬遺老，與之述業。神兵東驅，奮寡犯衆。攻無堅城之將，戰無交鋒之虜。誅叛柔服，而江外底定；飾法脩師，則威德翕赫。賓禮名賢，而張昭爲之雄；交御豪俊，而周瑜爲之傑。彼二君子，皆弘敏而多奇，雅達而聰哲。故同方者以類附，等契者以氣集，而江東蓋多士矣。將北伐諸華，誅鉏干紀。旋皇輿於夷庚，反帝座乎紫闥。挾天子以令諸侯，清天步而歸舊物。戎車既次，群凶側目，大業未就，中世而殞。用集我大皇帝以奇蹤襲於逸軌，叡心因於令圖。從政咨於故實，播憲稽乎遺風。而加之以篤固，申之以節儉。疇咨俊茂，好謀善斷。束帛旅於丘園，旍命交於塗巷。故豪彦尋聲而響臻，志士希光而景鶩。異人輻湊，猛士如林。於是張昭爲師傅，周瑜、陸公、魯肅、吕蒙之儔，入爲腹心，出作股肱；甘寧、凌統、程普、賀齊、朱桓、朱然之徒，奮其威；韓當、潘璋、黄蓋、蔣欽、周泰之屬，宣其力。風雅則諸葛瑾、張承、步騭，以名聲光國；政事則顧

雍、潘濬、吕範、吕岱，以器任幹職；奇偉則虞翻、陸績、張温、張惇，以諷議舉正；奉使則趙咨、沈珩，以敏達延譽；術數則吴範、趙達，以禨祥協德。董襲、陳武，殺身以衛主；駱統、劉基，彊諫以補過。謀無遺諝，舉不失策。故遂割據山川，跨制荆吴，而與天下爭衡矣。

魏氏嘗藉戰勝之威，率百萬之師，浮鄧塞之舟，下漢陰之衆，羽檝萬計，龍躍順流，鋭騎千旅，虎步原隰，謨臣盈室，武將連衡。喟然有吞江滸之志，一宇宙之氣。而周瑜驅我偏師，黜之赤壁，喪旗亂轍，僅而獲免，收迹遠遁。漢王亦憑帝王之號，帥巴漢之民，乘危騁變，結壘千里，志報關羽之敗，圖收湘西之地。而陸公亦挫之西陵，覆師敗績，困而後濟，絶命永安。續以濡須之寇，臨川摧鋭；蓬籠之戰，孑輪不反。由是二邦之將，喪氣挫鋒，勢衄財匱，而吴莞然坐乘其弊。故魏人請好，漢氏乞盟，遂躋天號，鼎跱而立。西屠庸益之郊，北裂淮漢之涘，東包百越之地，南括群蠻之表。於是講八代之禮，蒐三王之樂。告類上帝，拱揖群后，虎臣毅卒，循江而守，長棘勁鎩，望飈而奮。庶尹盡規於上，四民展業于下。化恊殊裔，風衍遐圻。乃俾一介行人，撫巡外域。巨象逸駿，擾於外閑；明珠瑋寶，耀於内府。珍瑰重迹而至，奇翫應響而赴。輶軒騁於南荒，衝輣息於朔野。齊民免干戈之患，戎馬無晨服之虞。而帝業固矣。

大皇既歿，幼主莅朝。姦回肆虐，景皇聿興，虔修遺憲，政無大闕，守文之良主也。降及歸命之初，典刑未滅，故老猶存。大司馬陸公以文武熙朝，左丞相陸凱以謇諤盡規，而施績范慎以威重顯，丁奉離斐以武毅稱，孟宗丁固之徒爲公卿，樓玄賀劭之屬掌機事，元首雖病，股肱猶存。爰及末葉，群公既喪，然後黔首有瓦解之志，皇家有土崩之釁。曆命應化而微，王師躡運而發。卒散於陣，民奔于邑；城池無藩籬之固，山川無溝阜之勢。非有工輸雲梯之械，智伯灌激之害，楚子築室之圍，燕人濟西之隊，軍未浹辰，而社稷夷矣。雖忠臣孤憤，烈士死節，將奚救哉？

夫曹劉之將，非一世所選；向時之師，無曩日之衆。戰守之道，抑有前符；險阻之利，俄然未改。而成敗貿理，古今詭趣，何哉？彼此之化殊，授任之才異也。

辯亡論下

昔三方之王也，魏人據中夏，漢氏有岷益，吳制荊楊而奄交廣。曹氏雖功濟諸華，虐亦深矣，其民怨矣。劉公因險以飾智，功已薄矣，其俗陋矣。夫吳，桓王基之以武，太祖成之以德，聰明叡達，懿度弘遠矣。其求賢如不及，卹民如稚子。接士盡盛德之容，親仁罄丹府之愛。拔呂蒙於戎行，識潘濬於係虜。推誠信士，不恤人之我欺；量能授器，不患權之我逼。執鞭鞠躬，以重陸公之威；悉委武衛，以濟周瑜之師。卑宮菲食，以豐功臣之賞；披懷虛己，以納謨士之筭。故魯肅一面而自託，士燮蒙險而致命。高張公之德，而省遊田之娛；賢諸葛之言，而割情欲之歡。感陸公之規，而除刑法之煩；奇劉基之議，而作三爵之誓。屏氣跼蹐，以伺子明之疾；分滋損甘，以育淩統之孤。登壇慷慨，歸魯子之功；削投惡言，信子瑜之節。是以忠臣競盡其謨，志士咸得肆力。洪規遠略，固不厭夫區區者也。故百官苟合，庶務未遑。

初都建業，群臣請備禮秩，天子辭而不許曰：『天下其謂朕何？』宮室輿服，

蓋慊如也。爰及中葉，天人之分既定，百度之缺粗脩，雖醲化懿綱，未齒乎上代，抑其體國經邦之具，亦足以爲政矣。地方幾萬里，帶甲將百萬，其野沃，其兵練，其器利，其財豐。東負滄海，西阻險塞，長江制其區宇，峻山帶其封域。國家之利，未巨有弘於茲者矣。借使中才守之以道，善人御之有術，敦率遺典，勤民謹政，循定策，守常險，則可以長世永年，未有危亡之患也。

或曰：吳蜀脣齒之國，蜀滅則吳亡，理則然矣。夫蜀，蓋藩援之與國，而非吳人之存亡也。何則？其郊境之接，重山積險，陸無長轂之徑；川阨流迅，水有驚波之艱。雖有銳師百萬，啓行不過千夫；舳艫千里，前驅不過百艦。故劉氏之伐，陸公喻之長蛇，其勢然也。昔蜀之初亡，朝臣異謀，或欲積石以險其流，或欲機械以御其變。天子總群議而諮之大司馬陸公，公以四瀆天地之所以節宣其氣，固無可遏之理，而機械則彼我之所共，彼若棄長技以就所屈，即荊楊而爭舟楫之用，是天贊我也。將謹守峽口，以待禽耳。逮步闡之亂，憑寶城以延強寇，重資幣以誘群蠻。于時大邦之衆，雲翔電發，懸旍江介，築壘遵渚，襟帶要害，以止吳人之西。而巴漢

舟師沿江東下。陸公以偏師三萬，北據東阬，深溝高壘，案甲養威。反虜踠跡待戮，而不敢北窺生路，彊寇敗績宵遁，喪師太半。分命銳師五千，西御水軍，東西同捷，獻俘萬計。信哉，賢人之謀，豈欺我哉！自是烽燧罕警，封域寡虞。陸公歿而潛謀兆，吳釁深而六師駭。夫太康之役，衆未盛乎曩日之師；廣州之亂，禍有愈乎向時之難。而邦家顛覆，宗廟爲墟。嗚呼！人之云亡，邦國殄瘁，不其然與？《易》曰：『湯武革命，順乎天。』玄曰：『亂不極則治不形。』言帝王之因天時也。古人有言曰：『天時不如地利。』《易》曰：『王侯設險，以守其國。』言爲國之恃險也。又曰：『地利不如人和。』『在德不在險。』言守險之由人也。吳之興也，參而由焉，孫卿所謂合其參者也。及其亡也，恃險而已，又孫卿所謂舍其參者也。

夫四州之萌非無衆也，大江之南非乏俊也，山川之險易守也，勁利之器易用也，先政之策易循也。功不興而禍遘者，何哉？所以用之者失也。是故先王達經國之長規，審存亡之至數；謙己以安百姓，敦惠以致人和；寬沖以誘俊乂之謀，慈和以結士民之愛。是以其安也，則黎元與之同慶；及其危也，則兆庶與之共患。安與衆同慶，則其危不可得也；危與下共患，則其難不足恤也。夫然，故能保其社稷，而固其土宇，麥秀無悲殷之思，黍離無愍周之感矣。

昭明文選卷五十四

【論四】

五等論一首

陸士衡

夫體國經野，先王所愼；創制垂基，思隆後葉。然而經略不同，長世異術，五等之制，始於黃唐。郡縣之治，創自秦漢。得失成敗，備在典謨，是以其詳，可得而言。

夫先王知帝業至重，天下至曠。曠不可以偏制，重不可以獨任；任重必於借力，制曠終乎因人。故設官分職，所以輕其任也；並建五長，所以弘其制也。於是乎立其封疆之典，財其親疏之宜，使萬國相維，以成盤石之固，宗庶雜居，而定維城之業。又有以見綏世之長御，識人情之大方；知其爲人不如厚己，利物不如圖身；安上在於悅下，爲己在乎利人。故《易》曰：『說以使民，民忘其勞。』孫卿曰：『不利而利之，不如利而後利之之利也。』是以分天下以厚樂，而己得與之同憂；饗天下以豐利，而我得與之共害。利博則恩篤，樂遠則憂深。故諸侯享食土之實，萬國受世及之祚矣。夫然，則南面之君，各務其治；九服之民，知有定主。上之子愛於是乎生，下之體信於是乎結。世治足以敦風，道衰足以御暴。故強毅之國，不能擅一時之勢；雄俊之士，無所寄霸王之志。然後國安由萬邦之思治，主尊賴群后之圖身。譬猶衆目營方，則天網自昶；四體辭難，而心膂獲乂。三代所以直道，四王所以垂業也。

夫盛衰隆弊，理所固有；教之廢興，繫乎其人。愿法期於必凉，明道有時而闇。故世及之制弊於彊禦，厚下之典漏於末折。侵弱之釁，遘自三季。陵夷之禍，終于七雄。昔者成湯親照夏后之鑒，公旦目涉商人之戒。文質相濟，損益有物。故五等之禮，不革于時。封畛之制，有隆焉爾者。豈玩二王之禍，而闇經世之筭。固知百世非可懸御，善制不能弊。而侵弱之辱，愈於殄祀。土崩之困，痛於陵夷也。是以經始權其多福，慮終取其少禍。非謂侯伯無可亂之符，郡縣非致治之具也。故國憂賴其釋位，主弱憑其翼戴。及承微積弊，王室遂卑，猶保名位，祚垂後嗣，皇統幽

而不輟，神器否而必存者，豈非置勢使之然與？

降及亡秦，棄道任術，懲周之失，自矜其得。尋斧始於所庇，制國昧於弱下，國慶獨饗其利，主憂莫與共害。雖速亡趨亂，不必一道，顛沛之釁，實由孤立。是蓋思五等之小怨，忘萬國之大德，知陵夷之可患，闇土崩之爲痛也。周之不競，有自來矣。國乏令主，十有餘世，然片言勤王，諸侯必應，一朝振矜，遠國先叛。故彊晉收其請隧之圖，暴楚頓其觀鼎之志，豈劉、項之能闚關，勝、廣之敢號澤哉？借使秦人因循周制，雖則無道，有與共弊，覆滅之禍，豈在曩日！

漢矯秦枉，大啓侯王。境土逾溢，不遵舊典。故賈生憂其危，鼂錯痛其亂。是以諸侯阻其國家之富，憑其士民之力，勢足者反疾，土狹者逆遲。六臣犯其弱綱，七子衝其漏網。皇祖夷於黥徒，西京病於東帝。是蓋過正之災，而非建侯之累也。然呂氏之難，朝士外顧；宋昌策漢，必稱諸侯。逮至中葉，忌其失節，割削宗子，有名無實，天下曠然，復襲亡秦之軌矣。是以五侯作威，不忌萬邦；新都襲漢，易於拾遺也。光武中興，纂隆皇統，而猶遵覆車之遺轍，養喪家之宿疾。僅及數世，姦軌充斥，卒有彊臣專朝，則天下風靡，一夫縱衡，則城池自夷，豈不危哉！

在周之衰，難興王室，放命者七臣，干位者三子。嗣王委其九鼎，凶族據其天邑，鉦鼙震於閫宇，鋒鏑流乎絳闕。然禍止畿甸，害不覃及，天下晏然，以治待亂。是以宣王興於共和，襄惠振於晉鄭。豈若二漢，階闥蹔擾，而四海已沸，孽臣朝入，而九服夕亂哉！

遠惟王莽篡逆之事，近覽董卓擅權之際，億兆悼心，愚智同痛。然周以之存，漢以之亡，夫何故哉？豈世乏曩時之臣，士無匡合之志歟？蓋遠績屈於時異，雄心挫於卑勢耳。故烈士扼腕，終委寇讎之手；中人變節，以助虐國之桀。雖復時有鳩合同志，以謀王室，然上非奥主，下皆市人，師旅無先定之班，君臣無相保之志。是以義兵雲合，無救劫弑之禍；民望未改，而已見大漢之滅矣。或以諸侯世位，不必常全，昏主暴君，有時比迹，故五等所以多亂。今之牧守，皆以官方庸能，雖或失之，其得固多，故郡縣易以爲治。

夫德之休明，黜陟日用，長率連屬，咸述其職，而淫昏之君，無所容過，何則其不治哉？故先代有以之興矣。苟或衰陵，百度自悖，

鬻官之吏，以貨準才，則貪殘之萌，皆如群后也。安在其不亂哉？故後王有以之廢矣。且要而言之，五等之君，爲己思治；郡縣之長，爲利圖物。何以徵之？蓋企及進取，仕子之常志；修己安民，良士之所希及。夫進取之情銳，而安民之譽遲。是故侵百姓以利己者，在位所不憚；損實事以養名者，官長所夙夜也。君無卒歲之圖，臣挾一時之志。五等則不然，知國爲己土，衆皆我民，民安己受其利，國傷家嬰其病。故前人欲以垂後，後嗣思其堂構，爲上無苟且之心，群下知膠固之義。使其並賢居治，則功有厚薄；兩愚處亂，則過有深淺。然則八代之制，幾可以一理貫；秦漢之典，殆可以一言蔽矣。

辯命論一首

劉孝標

主上嘗與諸名賢言及管輅，歎其有奇才而位不達。時有在赤墀之下豫聞斯議，歸以告余。余謂士之窮通，無非命也。故謹述天旨，因言其致云。

臣觀管輅，天才英偉，珪璋特秀，實海内之名傑，豈日者卜祝之流乎？而官止少府丞，年終四十八，天之報施，何其寡與？然則高才而無貴仕，饕餮而居大位，自古所歎，焉獨公明而已哉！故性命之道，窮通之數，夭閼紛綸，莫知其辯。仲任蔽其源，子長闡其惑。至於鶡冠甕牖，必以懸天有期；鼎貴高門，則曰唯人所召。譊譊讙咋，異端斯起。蕭遠論其本而不暢其流，子玄語其流而未詳其本。嘗試言之曰：夫通生萬物，則謂之道；生而無主，謂之自然。自然者，物見其然，不知所以然，同焉皆得，不知所以得。鼓動陶鑄而不爲功，庶類混成而非其力。生之無亭毒之心，死之豈虔劉之志。墜之淵泉非其怒，升之霄漢非其悅。蕩乎大乎，萬寶以之化；確乎純乎，一化而不易。化而不易，則謂之命。命也者，自天之命也。定於冥兆，終然不變。鬼神莫能預，聖哲不能謀，觸山之力無以抗，倒日之誠弗能感。短則不可緩之於寸陰，長則不可急之於箭漏。至德未能逾，上智所不免。是以放勛之世，浩浩襄陵；天乙之時，焦金流石。文公疐其尾，宣尼絶其糧。顔回敗其叢蘭，冉耕歌其芣苢。夷叔斃淑媛之言，子輿困臧倉之訴。聖賢且猶若此，而況庸庸者乎？至乃伍員浮尸於江流，三閭沈骸於湘渚。賈大夫沮志於長沙，馮都尉皓髮於郎署。君山鴻漸，鎩羽儀於高雲；敬通鳳起，摧迅翮於風穴。此豈才不足而行有遺哉？

近世有沛國劉瓛，瓛弟璡，並一時之秀士也。瓛則關西孔子，通涉六經，循循善誘，服膺儒行。璡則志烈秋霜，心貞昆玉，亭亭高竦，不雜風塵。皆毓德於衡門，並馳聲於天地。而官有微於侍郎，位不登於執戟，相次殂落，宗祀無饗。因斯兩賢以言古則，昔之玉質金相，英髦秀達，皆擯斥於當年，韞奇才而莫用，徼草木以共彫，與麋鹿而同死，膏塗平原，骨填川谷，堙滅而無聞者，豈可勝道哉！此則宰衡之與皂隸，容彭之與殤子，猗頓之與黔婁，陽文之與敦洽。咸得之於自然，不假道於才智。故曰『死生有命，富貴在天』，其斯之謂矣。

然命體周流，變化非一，或先號後笑，或始吉終凶，或不召自來，或因人以濟。交錯糾紛，迴還倚伏，非可以一理徵，非可以一途驗。而其道密微，寂寥忽慌，無形可以見，無聲可以聞。必御物以效靈，亦憑人而成象；譬天王之冕旒，任百官以司職。而或者覩湯武之龍躍，謂龕亂在神功；聞孔墨之挺生，謂英睿擅奇響；視彭韓之豹變，謂鷙猛致人爵；見張桓之朱紱，謂明經拾青紫。豈知有力者運之而趨乎？故言而非命，有六蔽焉爾。請陳其梗概：

夫靡顔膩理，哆噅顣頞，形之異也。朝秀晨終，龜鵠千歲，年之殊也。聞言如響，智昏菽麥，神之辨也。同知三者，定乎造化，榮辱之境，獨曰由人，是知二五而未識於十。其蔽一也。

龍犀日角，帝王之表；河目龜文，公侯之相。撫鏡知其將刑，壓紐顯其膺錄。星虹樞電，昭聖德之符；夜哭聚雲，鬱興王之瑞。皆兆發於前期，涣汗於後葉。若謂驅貔虎，奮尺劍。入紫微，升帝道，則未達窅冥之情，未測神明之數。其蔽二也。

空桑之里，變成洪川；歷陽之都，化爲魚鼈。楚師屠漢卒，睢河鯁其流；秦人坑趙士，沸聲若雷震。火炎昆嶽，礫石與琬琰俱焚；嚴霜夜零，蕭艾與芝蘭共盡。雖游夏之英才，伊顔之殆庶，焉能抗之哉？其蔽三也。

或曰明月之珠，不能無纇；夏后之璜，不能無考。故亭伯死於縣長，相如卒於園令。才非不傑也，主非不明也，而碎結綠之鴻輝，殘懸黎之夜色，抑尺之量有短哉？若然者，主父偃公孫弘對策不升第，歷說而不入，牧豕淄原，見棄州部。設令忽如過隙，溘死霜露，其爲詬耻，豈崔馬之流乎？及至開東閤，列五鼎，電照風行，

聲馳海外，寧前愚而後智，先非而終是？將榮悴有定數，天命有至極，而謬生妍蚩。其蔽四也。

夫虎嘯風馳，龍興雲屬，故重華立而元凱升，辛受生而飛廉進。然則天下善人少，惡人多，闇主衆，明君寡。而薰蕕不同器，梟鸞不接翼，是使渾敦檮杌踵武於雲臺之上，仲容庭堅耕耘於巖石之下。横謂廢興在我，無繫於天。其蔽五也。

彼戎狄者，人面獸心，宴安鴆毒，以誅殺爲道德，以蒸報爲仁義，雖大風立於青丘，鑿齒奮於華野，比於狼戾，曾何足喻？自金行不競，天地板蕩，左帶沸脣，乘間電發，遂覆瀍洛，傾五都，居先王之桑梓，竊名號於中縣，與三皇競其萌黎，五帝角其區宇，種落繁熾，充仞神州。嗚呼！福善禍淫，徒虚言耳！豈非否泰相傾，盈縮遞運，而汨之以人？其蔽六也。

然所謂命者，死生焉，貴賤焉，貧富焉，治亂焉，禍福焉。此十者，天之所賦也。愚智善惡，此四者，人之所行也。夫神非舜禹，心異朱均，才絓中庸，在於所習。是以素絲無恒，玄黄代起，鮑魚芳蘭，入而自變。故季路學於仲尼，厲風霜之節；楚穆謀於潘崇，成殺逆之禍。而商臣之惡，盛業光於後嗣；仲由之善，不能息其結纓。斯則邪正由於人，吉凶在乎命。

或以鬼神害盈，皇天輔德。故宋公一言，法星三徙，殷帝自翦，千里來雲。若使善惡無徵，未洽斯義。且于公高門以待封，嚴母掃墓以望喪，此君子所以自彊不息也。如使仁而無報，奚爲修善立名乎？斯徑廷之辭也。

夫聖人之言顯而晦，微而婉，幽遠而難聞，河漢而不測。或立教以進庸怠，或言命以窮性靈，積善餘慶，立教也；鳳鳥不至，言命也。今以其片言辯其要趣，何異乎夕死之類而論春秋之變哉。且荆昭德音，丹雲不卷；周宣祈雨，珪璧斯罄；于叟種德，不逮勛華之高；延年殘獷，未甚東陵之酷。爲善一，爲惡均，而禍福異其流，廢興殊其迹，蕩蕩上帝，豈如是乎？《詩》云：『風雨如晦，雞鳴不已。』故善人爲善，焉有息哉？

夫食稻粱，進芻豢，衣狐貉，襲冰紈，觀窈眇之奇儛，聽雲和之琴瑟，此生人之所急，非有求而爲也。修道德，習仁義，敦孝悌，立忠貞，漸禮樂之腴潤，蹈先王之

盛則，此君子之所急，非有求而爲也。然則君子居正體道，樂天知命，明其無可柰何，識其不由智力，逝而不召，來而不距，生而不喜，死而不慼。瑶臺夏屋，不能悅其神；土室編蓬，未足憂其慮。不充詘於富貴，不遑遑於所欲。豈有史公董相不遇之文乎？

昭明文選卷五十五

【論五】

廣絶交論一首　劉孝標

客問主人曰：『朱公叔絶交論，爲是乎？爲非乎？』主人曰：『客奚此之問？』客曰：『夫草蟲鳴則阜螽躍，雕虎嘯而清風起。故絪緼相感，霧涌雲蒸；嚶鳴相召，星流電激。是以王陽登則貢公喜，罕生逝而國子悲。且心同琴瑟，言鬱郁於蘭茝；道叶膠漆，志婉變於塤篪。聖賢以此鏤金版而鐫盤盂，書玉牒而刻鍾鼎。若乃匠人輟成風之妙巧，伯子息流波之雅引。范張款款於下泉，尹班陶陶於永夕。駱驛縱橫，煙霏雨散，巧曆所不知，心計莫能測。而朱益州汩彜叙，粤謨訓，捶直切，絶交游。比黔首以鷹鸇，媲人靈於豺虎。蒙有猜焉，請辨其惑。』

主人听然而笑曰：『客所謂撫絃徽音，未達燥濕變響；張羅沮澤，不覩鴻鴈雲飛。蓋聖人握金鏡，闡風烈，龍驤蠖屈，從道汙隆。日月聯璧，贊亹亹之弘致；雲飛電薄，顯棣華之微旨。若五音之變化，濟九成之妙曲。此朱生得玄珠於赤水，謨神睿而爲言。至夫組織仁義，琢磨道德，驩其愉樂，恤其陵夷。寄通靈臺之下，遺迹

江湖之上，風雨急而不輟其音，霜雪零而不渝其色，斯賢達之素交，歷萬古而一遇。逮叔世民訛，狙詐飈起，谿谷不能逾其險，鬼神無以究其變，競毛羽之輕，趨錐刀之末。於是素交盡，利交興，天下蚩蚩，鳥驚雷駭。然則利交同源，派流則異，較言其略，有五術焉：

『若其寵鈞董石，權壓梁竇，雕刻百工，鑪捶萬物。吐漱興雲雨，呼噏下霜露。九域聳其風塵，四海疊其熛灼。靡不望影星奔，藉響川騖，雞人始唱，鶴蓋成陰，高門旦開，流水接軫。皆願摩頂至踵，隳膽抽腸，約同要離焚妻子，誓殉荊卿湛七族。是曰勢交，其流一也。

『富埒陶白，貲巨程羅，山擅銅陵，家藏金穴，出平原而聯騎，居里閈而鳴鍾。則有窮巷之賓，繩樞之士，冀宵燭之末光，邀潤屋之微澤；魚貫鳧躍，颯沓鱗萃，分鴈鶩之稻粱，霑玉斝之餘瀝。銜恩遇，進款誠，援青松以示心，指白水而旌信。是

曰賄交，其流二也。

『陸大夫宴喜西都，郭有道人倫東國，公卿貴其籍甚，搢紳羨其登仙。加以頷頤蹙頞，涕唾流沫，騁黄馬之劇談，縱碧雞之雄辯，叙温郁則寒谷成暄，論嚴苦則春叢零葉，飛沈出其顧指，榮辱定其一言。於是有弱冠王孫，綺紈公子，道不挂於通人，聲未遒於雲閣，攀其鱗翼，丐其餘論，附騏驥之旄端，軼歸鴻於碣石。是曰談交，其流三也。

『陽舒陰慘，生民大情；憂合驩離，品物恒性。故魚以泉涸而呴沫，鳥因將死而鳴哀。同病相憐，綴河上之悲曲；恐懼寘懷，昭谷風之盛典。斯則斷金由於湫隘，刎頸起於苫蓋。是以伍員濯溉於宰嚭，張王撫翼於陳相。是曰窮交，其流四也。

『馳騖之俗，澆薄之倫，無不操權衡，秉纖纊。衡所以揣其輕重，纊所以屬其鼻息。若衡不能舉，纊不能飛，雖顏冉龍翰鳳雛，曾史蘭薰雪白，舒向金玉淵海，卿雲黼黻河漢，視若游塵，遇同土梗，莫肯費其半菽，罕有落其一毛。若衡重錙銖，纊微彯撇，雖共工之蒐慝，驩兜之掩義，南荆之跋扈，東陵之巨猾，皆爲匍匐逶迤，折枝舐痔，金膏翠羽將其意，脂韋便辟導其誠。故輪蓋所游，必非夷惠之室；苞苴所入，實行張霍之家。謀而後動，毫芒寡忒。是曰量交，其流五也。

『凡斯五交，義同賈鬻，故桓譚譬之於闤闠，林回喻之於甘醴。夫寒暑遞進，盛衰相襲，或前榮而後悴，或始富而終貧，或初存而末亡，或古約而今泰，循環飜覆，迅若波瀾。此則殉利之情未嘗異，變化之道不得一。由是觀之，張陳所以凶終，蕭朱所以隙末，斷焉可知矣。而翟公方規規然勒門以箴客，何所見之晚乎？

『因此五交，是生三釁：敗德殄義，禽獸相若，一釁也。難固易攜，讎訟所聚，二釁也。名陷饕餮，貞介所羞，三釁也。古人知三釁之爲梗，懼五交之速尤。故王丹威子以檟楚，朱穆昌言而示絶，有旨哉！有旨哉！

『近世有樂安任昉，海内髦傑，早綰銀黄，夙昭民譽。遒文麗藻，方駕曹王；英時俊邁，聯横許郭。類田文之愛客，同鄭莊之好賢。見一善則盱衡扼腕，遇一才則揚眉抵掌。雌黄出其脣吻，朱紫由其月旦。於是冠蓋輻湊，衣裳雲合，輜軿擊轊，坐客恒滿。蹈其閫閾，若升闕里之堂；入其隩隅，謂登龍門之阪。至於顧眄增其倍

價，剪拂使其長鳴，彰組雲臺者摩肩，趍走丹墀者疊迹。莫不締恩狎，結綢繆，想惠莊之清塵，庶羊左之徽烈。及瞑目東粵，歸骸洛浦。繐帳猶懸，門罕漬酒之彥；墳未宿草，野絶動輪之賓。藐爾諸孤，朝不謀夕，流離大海之南，寄命嶂癘之地。自昔把臂之英，金蘭之友，曾無羊舌下泣之仁，寧慕郈成分宅之德。

『嗚呼！世路險巇，一至於此！太行孟門，豈云嶄絶？是以耿介之士，疾其若斯，裂裳裹足，棄之長騖。獨立高山之頂，歡與麋鹿同群，皦皦然絶其雰濁，誠恥之也，誠畏之也。』

【連珠】

演連珠五十首

陸士衡

臣聞日薄星迴，穹天所以紀物；山盈川沖，后土所以播氣。五行錯而致用，四時違而成歲。是以百官恪居，以赴八音之離；明君執契，以要克諧之會。

臣聞任重於力，才盡則困；用廣其器，應博則凶。是以物勝權而衡殆，形過鏡則照窮。故明主程才以效業，貞臣底力而辭豐。

臣聞髦俊之才，世所希乏；丘園之秀，因時則揚。是以大人基命，不擢才於后土；明主聿興，不降佐於昊蒼。

臣聞世之所遺，未爲非寶；主之所珍，不必適治。是以俊乂之藪，希蒙翹車之招；金碧之巖，必辱鳳舉之使。

臣聞祿放於寵，非隆家之舉；官私於親，非興邦之選。是以三卿世及，東國多衰弊之政；五侯並軌，西京有陵夷之運。

臣聞靈輝朝覯，稱物納照；時風夕灑，程形賦音。是以至道之行，萬類取足於世；大化既洽，百姓無匱於心。

臣聞頓網探淵，不能招龍；振綱羅雲，不必招鳳。是以巢箕之叟，不眄丘園之幣；洗渭之民，不發傅巖之夢。

臣聞鑑之積也無厚，而照有重淵之深；目之察也有畔，而眂周天壤之際。何則？應事以精不以形，造物以神不以器。是以萬邦凱樂，非悅鍾鼓之娛；天下歸仁，非感玉帛之惠。

臣聞積實雖微，必動於物；崇虛雖廣，不能移心。是以都人冶容，不悅西施之影；乘馬班如，不輟太山之陰。

臣聞應物有方，居難則易；藏器在身，所乏者時。是以充堂之芳，非幽蘭所難；繞梁之音，實縈絃所思。

臣聞智周通塞，不爲時窮；才經夷險，不爲世屈。是以凌飇之羽，不求反風；耀夜之目，不思倒日。

臣聞忠臣率志，不謀其報；貞士發憤，期在明賢。是以柳莊黜殯，非貪瓜衍之賞；禽息碎首，豈要先茅之田！

臣聞利眼臨雲，不能垂照；朗璞蒙垢，不能吐輝。是以明哲之君，時有蔽壅之累；俊乂之臣，屢抱後時之悲。

臣聞郁烈之芳，出於委灰；繁會之音，生於絶絃。是以貞女要名於沒世，烈士赴節於當年。

臣聞良宰謀朝，不必借威；貞臣衛主，脩身則足。是以三晉之強，屈於齊堂之俎；千乘之勢，弱於陽門之哭。

臣聞赴曲之音，洪細入韻；蹈節之容，俯仰依詠。是以言苟適事，精麤可施；士苟適道，修短可命。

臣聞因雲灑潤，則芬澤易流；乘風載響，則音徽自遠。是以德教俟物而濟，榮名緣時而顯。

臣聞覽影偶質，不能解獨；指迹慕遠，無救於遲。是以循虛器者，非應物之具；翫空言者，非致治之機。

臣聞鑽燧吐火，以續湯谷之晷；揮翮生風，而繼飛廉之功。是以物有微而毗著，事有瑣而助洪。

臣聞春風朝煦，蕭艾蒙其温；秋霜宵墜，芝蕙被其凉。是故威以齊物爲肅，德以普濟爲弘。

臣聞巧盡於器，習數則貫；道繫於神，人亡則滅。是以輪匠肆目，不乏奚仲之妙；瞽叟清耳，而無伶倫之察。

臣聞性之所期，貴賤同量；理之所極，卑高一歸。是以准月稟水，不能加涼；晞日引火，不必增輝。

臣聞絶節高唱，非凡耳所悲；肆義芳訊，非庸聽所善。是以南荆有寡和之歌，東野有不釋之辯。

臣聞尋煙染芬，薰息猶芳；徵音錄響，操終則絶。何則？垂於世者可繼，止乎身者難結。是以玄晏之風恒存，動神之化已滅。

臣聞託闇藏形，不爲巧密；倚智隱情，不足自匿。是以重光發藻，尋虚捕景；大人貞觀，探心昭忒。

臣聞披雲看霄，則天文清；澄風觀水，則川流平。是以四族放而唐劭，二臣誅而楚寧。

臣聞音以比耳爲美，色以悦目爲歡。是以衆聽所傾，非假百里之操；萬夫婉孌，非俟西子之顔。故聖人隨世以擢佐，明主因時而命官。

臣聞出乎身者，非假物所隆；牽乎時者，非克己所勗。是以利盡萬物，不能叡童昏之心；德表生民，不能救棲遑之辱。

臣聞動循定檢，天有可察；應無常節，身或難照。是以望景揆日，盈數可期；撫臆論心，有時而謬。

臣聞傾耳求音，眡優聽苦；澄心徇物，形逸神勞。是以天殊其數，雖同方不能分其感；理塞其通，則並質不能共其休。

臣聞遯世之士，非受匏瓜之性；幽居之女，非無懷春之情。是以名勝欲，故偶影之操矜；窮愈達，故凌霄之節厲。

臣聞聽極於音，不慕鈞天之樂；身足於蔭，無假垂天之雲。是以蒲密之黎，遺時雍之世；豐沛之士，忘桓撥之君。

臣聞飛轡西頓，則離朱與矇瞍收察；懸景東秀，則夜光與武夫匿耀。是以才換世則俱困，功偶時而並劭。

臣聞示應於近，遠有可察；託驗於顯，微或可包。是以寸管下傃，天地不能以氣欺；尺表逆立，日月不能以形逃。

臣聞絃有常音，故曲終則改；鏡無畜影，故觸形則照。是以虛己應物，必究千變之容；挾情適事，不觀萬殊之妙。

臣聞柷敔希聲，以諧金石之和；鼙鼓疏擊，以節繁絃之契。是以經治必宣其通，圖物恒審其會。

臣聞目無嘗音之察，耳無照景之神。故在乎我者，不誅之於己；存乎物者，不求備於人。

臣聞放身而居，體逸則安；肆口而食，屬厭則充。是以王鮪登俎，不假吞波之魚；蘭膏停室，不思銜燭之龍。

臣聞衝波安流，則龍舟不能以漂；震風洞發，則夏屋有時而傾。何則？牽乎動則靜凝，係乎靜則動貞。是以淫風大行，貞女蒙冶容之悔；淳化殷流，盜跖挾曾史之情。

臣聞達之所服，貴有或遺；窮之所接，賤而必尋。是以江漢之君，悲其墜屨；少原之婦，哭其亡簪。

臣聞觸非其類，雖疾弗應；感以其方，雖微則順。是以商飇漂山，不興盈尺之雲；谷風乘條，必降彌天之潤。故暗於治者，唱繁而和寡；審乎物者，力約而功峻。

臣聞煙出於火，非火之和；情生於性，非性之適。故火壯則煙微，性充則情約。是以殷墟有感物之悲，周京無佇立之跡。

臣聞適物之技，俯仰異用；應事之器，通塞異任。是以烏棲雲而繳飛，魚藏淵而網沈。賁鼓密而含響，朗笛疏而吐音。

臣聞理之所守，勢所常奪；道之所閉，權所必開。是以生重於利，故據圖無揮劍之痛；義貴於身，故臨川有投迹之哀。

臣聞通於變者，用約而利博；明其要者，器淺而應玄。是以天地之賾，該於六位；萬殊之曲，窮於五絃。

臣聞圖形於影，未盡纖麗之容；察火於灰，不覩洪赫之烈。是以問道存乎其人，觀物必造其質。

臣聞情見於物，雖遠猶疏；神藏於形，雖近則密。是以儀天步晷，而脩短可量；臨淵揆水，而淺深難察。

臣聞虐暑熏天，不減堅冰之寒；涸陰凝地，無累陵火之熱。是以呑縱之強，不能反蹈海之志；漂鹵之威，不能降西山之節。

臣聞理之所開，力所常達；數之所塞，威有必窮。是以烈火流金，不能焚景，沈寒凝海，不能結風。

臣聞足於性者，天損不能入；貞於期者，時累不能淫。是以迅風陵雨，不謬晨禽之察；勁陰殺節，不凋寒木之心。

昭明文選卷五十六

【箴】

女史箴一首　張茂先

茫茫造化，二儀既分。散氣流形，既陶既甄。在帝庖羲，肇經天人。爰始夫婦，以及君臣。家道以正，王猷有倫。婦德尚柔，含章貞吉。婉嫕淑慎，正位居室。施衿結褵，虔恭中饋。肅慎爾儀，式瞻清懿。樊姬感莊，不食鮮禽。衛女矯桓，耳忘和音。志厲義高，而二主易心。玄熊攀檻，馮媛趍進。夫豈無畏？知死不悋！班妾有辭，割驩同輦。夫豈不懷？防微慮遠！

道罔隆而不殺，物無盛而不衰。日中則昃，月滿則微。崇猶塵積，替若駭機。人咸知飾其容，而莫知飾其性。性之不飾，或愆禮正。斧之藻之，克念作聖。出其言善，千里應之。苟違斯義，則同衾以疑。夫出言如微，而榮辱由兹。勿謂幽昧，靈監無象。勿謂玄漠，神聽無響。無矜爾榮，天道惡盈。無恃爾貴，隆隆者墜。鑒于小

星，戒彼攸遂。比心螽斯，則繁爾類。驩不可以黷，寵不可以專。專實生慢，愛極則遷。致盈必損，理有固然。美者自美，翩以取尤。冶容求好，君子所讎。結恩而絶，職此之由。

故曰：翼翼矜矜，福所以興。靖恭自思，榮顯所期。女史司箴，敢告庶姬。

【銘】

封燕然山銘一首　班孟堅

惟永元元年秋七月，有漢元舅曰車騎將軍竇憲，寅亮聖皇，登翼王室，納于大麓，惟清緝熙。乃與執金吾耿秉，述職巡禦，治兵于朔方。鷹揚之校，螭虎之士，爰該六師，暨南單于，東胡烏桓，西戎氐羌，侯王君長之群，驍騎十萬。元戎輕武，長轂四分，雷輜蔽路，萬有三千餘乘。勒以八陣，莅以威神，玄甲耀日，朱旗絳天。遂凌高闕，下雞鹿，經磧鹵，絶大漠，斬温禺以釁鼓，血尸逐以染鍔。然後四校横徂，星流彗掃，蕭條萬里，野無遺寇。

於是域滅區殫，反旆而旋，考傳驗圖，窮覽其山川。遂逾涿邪，跨安侯，乘燕

然，躡冒頓之區落，焚老上之龍庭。將上以攄高文之宿憤，光祖宗之玄靈；下以安固後嗣，恢拓境宇，振大漢之天聲。兹可謂一勞而久逸，暫費而永寧也。乃遂封山刊石，昭銘盛德。其辭曰：

鑠王師兮征荒裔，剿凶虐兮截海外，敻其邈兮亘地界，封神丘兮建隆嵑，熙帝載兮振萬世。

座右銘一首

崔子玉

無道人之短，無說己之長。施人慎勿念，受施慎勿忘。世譽不足慕，唯仁爲紀綱。隱心而後動，謗議庸何傷？無使名過實，守愚聖所臧。在涅貴不淄，曖曖内含光。柔弱生之徒，老氏誡剛強。行行鄙夫志，悠悠故難量。慎言節飲食，知足勝不祥。行之苟有恒，久久自芬芳。

劍閣銘一首

張孟陽

巖巖梁山，積石峨峨。遠屬荆衡，近綴岷嶓。南通邛僰，北達褒斜。狹過彭碣，高逾嵩華。惟蜀之門，作固作鎮。是曰劍閣，壁立千仞。窮地之險，極路之峻。世

濁則逆，道清斯順。閉由往漢，開自有晉。秦得百二，并吞諸侯。齊得十二，田生獻籌。矧兹狹隘，土之外區。一人荷戟，萬夫趑趄。形勝之地，匪親勿居。昔在武侯，中流而喜。山河之固，見屈吴起。興實在德，險亦難恃。洞庭孟門，二國不祀。自古迄今，天命匪易。憑阻作昏，鮮不敗績。公孫既滅，劉氏銜璧。覆車之軌，無或重跡。勒銘山阿，敢告梁益。

石闕銘一首

陸佐公

昔在舜格文祖，禹至神宗；周變商俗，湯黜夏政。雖革命殊乎因襲，揖讓異於干戈，而晷緯冥合，天人啓朞，克明俊德，大庇生民，其揆一也。

在齊之季，昏虐君臨，威侮五行，怠棄三正，刑酷然炭，暴逾膏柱，民怨神怒，衆叛親離，蹐地無歸，瞻烏靡託。於是我皇帝拯之，乃操斗極，把鉤陳，翼百神，禔萬福。龍飛黑水，虎步西河，電動風驅，天行地止。命旅致屯雲之應，登壇有降火之祥，龜筮協從，人祇響附。穿胸露頂之豪，箕坐椎髻之長，莫不援旗請奮，執鋭争先。夏首憑固，庸岷負阻，協彼離心，抗兹同德。帝赫斯怒，秣馬訓兵，嚴鼓未通，凶

渠泥首。弘舸連軸，巨艦接艫，鐵馬千群，朱旗萬里。折簡而禽廬九，傳檄以下湘羅。兵不血刃，士無遺鏃，而樊鄧威懷，巴黔底定。

於是流湯之黨，握炭之徒，守似藩籬，戰同枯朽。革車近次，師營商牧。華夷士女，冠蓋相望，扶老攜幼，一旦雲集，壺漿塞野，簞食盈塗。似夏民之附成湯，殷士之窺周武。安老懷少，伐罪吊民，農不遷業，市無易賈。八方入計，四隩奉圖，羽檄交馳，軍書狎至。一日二日，非止萬機。而尊嚴之度，不諐於師旅；淵默之容，無改於行陣。計如投水，思若轉規；策定帷幄，謀成几案；曾未浹辰，獨夫授首。乃焚其綺席，棄彼寶衣，歸琁臺之珠，反諸侯之玉。指麾而四海隆平，下車而天下大定。拯兹塗炭，救此横流，功均天地，明並日月。

於是仰叶三靈，俯從億兆，受昭華之玉，納龍叙之圖。類帝禋宗，光有神器。升中以祀群望，攝袂而朝諸夏。布教都畿，班政方外。謀協上策，刑從中典。南服緩耳，西羇反舌。劒騎穹廬之國，同川共穴之人。莫不屈膝交臂，厥角稽顙。鑿空萬里，攘地千都；幕南罷鄣，河西無警。

於是治定功成，邇安遠肅，忘兹鹿駭，息此狼顧。乃正六樂，治五禮，改章程，創法律。置博士之職，而著録之生若雲；開集雅之館，而款關之學如市。興建庠序，啓設郊丘。一介之才必記，無文之典咸秩。

於是天下學士，靡然向風，人識廉隅，家知禮讓。教臻侍子，化洽期門。區宇乂安，方面靜息。役休務簡，歲阜民和。歷代規謩，前王典故，莫不芟夷翦截，允執厥中。以爲象闕之制，其來已遠。春秋設舊章之教，經禮垂布憲之文，戴記顯游觀之言，周史書樹闕之夢。北荒明月，西極流精；海岳黄金，河庭紫貝；蒼龍玄武之製，銅雀鐵鳳之工；或以聽窮省寃，或以布化懸法，或以表正王居，或以光崇帝里。晉氏浸弱，宋歷威夷，禮經舊典，寂寥無記，鴻規盛烈，湮没罕稱。乃假天闕於牛頭，託遠圖於博望，有欺耳目，無補憲章。乃命審曲之官，選明中之士，陳圭置臬，瞻星揆地，興復表門，草創華闕。

於是歲次天紀，月旅太簇，皇帝御天下之七載也。搆兹盛則，興此崇麗。方且趨以表敬，觀而知法，物覩雙碣之容，人識百重之典，作範垂訓，赫矣壯乎！爰命

下臣，式銘盤石。其辭曰：

惟帝建國，正位辨方。周營洛涘，漢啓岐梁。居因業盛，文以化光。爰有象闕，是惟舊章。青蓋南洎，黄旗東指。懸法無聞，藏書弗紀。大人造物，龍德休否。建此百常，興茲雙起。偉哉偃蹇，壯矣巍巍！旁映重疊，上連翠微。布教方顯，浹日初輝。懸書有附，委篋知歸。鬱崫重軒，穹隆反宇。形聳飛棟，勢超浮柱。色法上圓，製模下矩。周望原隰，俛臨煙雨。前寘四會，却背九房。北通二轍，南湊五方。暑來寒往，地久天長。神哉華觀！永配無疆。

新刻漏銘一首并序

陸佐公

夫自天觀象，昏旦之刻未分；治歷明時，盈縮之度無準。挈壺命氏，遠哉義用，揆景測辰，徵宫戒井，守以水火，分茲日夜。而司歷亡官，疇人廢業，孟陬殄滅，攝提無紀。衛宏載傳呼之節，較而未詳；霍融叙分至之差，詳而不密。陸機之賦，虚握靈珠；孫綽之銘，空擅昆玉。弘度遺篇，承天垂旨。布在方册，無彰器用。譬彼春華，同夫海棗。寧可以軌物字民，作範垂訓者乎？且今之官漏，出自會稽，積水違方，導流乖則，六日無辨，五夜不分，歲躔閹茂，月次姑洗。皇帝有天下之五載也，樂遷夏諺，禮變商俗，業類補天，功均柱地。河海夷晏，風雲律吕。坐朝晏罷，每旦晨興，屬傳漏之音，聽雞人之響。以爲星火謬中，金水違用，時乖啓閉，箭異錙銖。爰命日官，草創新器。

於是俯察旁羅，登臺升庫。則于地四，參以天一。建武遺蠹，咸和餘舛，金筒方員之制，飛流吐納之規，變律改經，一皆懲革。天監六年，太歲丁亥，十月丁亥朔，十六日壬寅，漏成進御。以考辰正晷，測表候陰，不謬圭撮，無乖黍累。又可以校運算之睽合，辨分天之邪正，察四氣之盈虚，課六歷之疏密。永世貽則，傳之無窮。赫矣煥乎，無得而稱也。

昔嘉量微物，盤盂小器，猶其昭德記功，載在銘典。况入神之制，與造化合符；成物之能，與坤元等契；動倍楹席，事百巾机。寧可使多謝曾水，有陋昆吾，金字不傳，銀書未勒者哉？乃詔小臣爲其銘曰：

一暑一寒，有明有晦。神道無跡，天工罕代。乃置挈壺，是惟熙載。氣均衡石，

晷正權概。世道交喪，禮術銷亡。遽遷水火，爭倒衣裳。擊刀舛次，聚木乖方。爰究爰度，時惟我皇。方壺外次，圓流内襲。洪殺殊等，高卑異級。靈虬承注，陰蟲吐噏。倏往忽來，鬼出神入。微若抽繭，逝如激電。耳不輟音，眼無留眄。銅史司刻，金徒抱箭。履薄非兢，臨深罔戰。授受靡僭，登降弗爽。惟精惟一，可法可象。月不遁來，日無藏往。分以符契，至猶影響。合昏暮卷，蓂莢晨生。尚辨天意，猶測地情。況我神造，通幽洞靈。配皇等極，爲世作程。

【誄上】

王仲宣誄一首并序

曹子建

建安二十二年正月二十四日戊申，魏故侍中關内侯王君卒。嗚呼哀哉！皇穹神察，喆人是恃。如何靈祇，殲我吉士！誰謂不庸？早世即冥。誰謂不傷？華繁中零。存亡分流，夭遂同期。朝聞夕沒，先民所思。何用誄德？表之素旗。何以贈終？哀以送之。遂作誄曰：

猗歟侍中，遠祖彌芳。公高建業，佐武伐商。爵同齊魯，邦祀絶亡。流裔畢萬，勳績惟光。晉獻賜封，于魏之疆。天開之祚，末胄稱王。厥姓斯氏，條分葉散。世滋芳烈，揚聲秦漢。會遭陽九，炎光中矇。世祖撥亂，爰建時雍。三台樹位，履道是鍾。寵爵之加，匪惠惟恭。自君二祖，爲光爲龍。僉曰休哉，宜翼漢邦。或統太尉，或掌司空。百揆惟敘，五典克從。天靜人和，皇教遐通。伊君顯考，奕葉佐時。入管機密，朝政以治。出臨朔岱，庶績咸熙。

君以淑懿，繼此洪基。既有令德，材技廣宣。強記洽聞，幽讚微言。文若春華，思若涌泉。發言可詠，下筆成篇。何道不洽？何藝不閑？棊局逞巧，博弈惟賢。皇家不造，京室隕顛。宰臣專制，帝用西遷。君乃羈旅，離此阻艱。翕然鳳舉，遠竄荆蠻。身窮志達，居鄙行鮮。振冠南嶽，濯纓清川。潛處蓬室，不干勢權。

我公奮鉞，耀威南楚。荆人或違，陳戎講武。君乃義發，筭我師旅。高尚霸功，投身帝宇。斯言既發，謀夫是與。是與伊何？響我明德。投戈編郡，稽顙漢北。我公實嘉，表揚京國。金龜紫綬，以彰勳則。勳則伊何？勞謙靡已。憂世忘家，殊略卓峙。乃署祭酒，與君行止。筭無遺策，畫無失理。

我王建國，百司儁乂。君以顯舉，秉機省闥。戴蟬珥貂，朱衣皓帶。入侍帷幄，出擁華蓋。榮曜當世，芳風晻藹。嗟彼東夷，憑江阻湖。騷擾邊境，勞我師徒。光光戎路，霆駭風徂。君侍華轂，輝輝王塗。思榮懷附，望彼來威。如何不濟，運極命衰，寢疾彌留，吉往凶歸。嗚呼哀哉！翩翩孤嗣，號慟崩摧。發軫北魏，遠迄南淮。經歷山河，泣涕如頹。哀風興感，行雲徘徊。游魚失浪，歸鳥忘栖。嗚呼哀哉！

吾與夫子，義貫丹青。好和琴瑟，分過友生。庶幾遐年，攜手同征。如何奄忽，棄我夙零！感昔宴會，志各高厲。予戲夫子，金石難弊。人命靡常，吉凶異制。此驩之人，孰先殞越？何寤夫子，果乃先逝！又論死生，存亡數度。子猶懷疑，求之明據。儻獨有靈，游魂泰素。我將假翼，飄颻高舉。超登景雲，要子天路。

喪柩既臻，將反魏京。靈轜迴軌，白驥悲鳴。虛廓無見，藏景蔽形。孰云仲宣，不聞其聲？延首歎息，雨泣交頸。嗟乎夫子！永安幽冥。人誰不沒？達士徇名。生榮死哀，亦孔之榮。嗚呼哀哉！

楊荊州誄一首 并序

潘安仁

維咸寧元年，夏四月乙丑，晉故折衝將軍荊州刺史東武戴侯滎陽楊史君薨。嗚呼哀哉！夫天子建國，諸侯立家。選賢與能，政是以和。周賴尚父，殷憑太阿。矯矯楊侯，晉之爪牙。忠節克明，茂績惟嘉。將宏王略，肅清荒遐。降年不永，玄首未華。銜恨沒世，命也柰何。嗚呼哀哉！自古在昔，有生必死。身沒名垂，先哲所韙。行以號彰，德以述美。敢託旒旗，爰作斯誄。其辭曰：

邈矣遠祖，系自有周。昭穆繁昌，枝庶分流。族始伯喬，氏出楊侯。弈世丕顯，允迪大猷。天猒漢德，龍戰未分。伊君祖考，方事之殷。鳥則擇木，臣亦簡君。投心魏朝，策名委身。奮躍淵塗，跨騰風雲。或統驍騎，或據領軍。

篤生戴侯，茂德繼期。纂戎洪緒，克構堂基。弱冠味道，無競惟時。孝實蒸蒸，友亦怡怡。多才豐藝，強記洽聞。目睇毫末，心筭無垠。草隸兼善，尺牘必珍。足不輟行，手不釋文。翰動若飛，紙落如雲。學優則仕，乃從王政。散璞發輝，臨軹作令。化行邑里，惠洽百姓。越登司官，肅我朝命。惟此大理，國之憲章。君莅其任，

視民如傷。庶獄明慎，刑辟端詳。聽參臯呂，稱侔于張。改授農政，于彼野王。倉盈庾億，國富兵彊。

煌煌文后，鴻漸晉室。君以兼資，參戎作弼。用錫土宇，膺茲顯秩。青社白茅，亦朱其紱。魏氏順天，聖皇受終。烈烈楊侯，實統禁戎。司管閶闔，清我帝宫。苛慝不作，穆如和風。謂督勳勞，班命彌崇。

茫茫海岱，玄化未周。滔滔江漢，疆埸分流。秉文兼武，時惟楊侯。既守東莞，乃牧荊州。折衝萬里，對揚王休。聞善若驚，疾惡如讎。示威示德，以伐以柔。吴夷凶侈，僞師畏逼。將乘讎釁，席卷南極。繼褰糧盡，神謀不忒。君子之過，引曲推直。如彼日月，有時則食。負執其咎，功讓其力。亦既旋旆，爲法受黜。退守丘塋，杜門不出。游目典墳，縱心儒術。祁祁搢紳，升堂入室。靡事不咨，無疑不質。位貶道行，身窮志逸。弗慮弗圖，乃寢乃疾。昊天不吊，景命其卒。嗚呼哀哉！

子囊佐楚，遺言城郢。史魚諫衛，以尸顯政。伊君臨終，不忘忠敬。寢伏牀蓐，念在朝廷。朝達厥辭，夕殞其命。聖王嗟悼，寵贈衾襚。誄德策勳，考終定謚。群辟慟懷，邦族揮淚。孤嗣在疚，寮屬含悴。赴者同哀，路人增欷。嗚呼哀哉！

余以頑蔽，覆露重陰。仰追先考，執友之心。俯感知己，識達之深。承諱忉怛，涕淚霑襟。豈忘載奔，憂病是沈。在疚不省，於亡不臨。舉聲增慟，哀有餘音。嗚呼哀哉！

楊仲武誄一首 并序

潘安仁

楊綏，字仲武，滎陽宛陵人也。中領軍肅侯之曾孫，荊州刺史戴侯之孫，東武康侯之子也。八歲喪父。其母鄭氏，光禄勳密陵成侯之元女，操行甚高，恤養幼孤，以保乂夫家，而免諸艱難。戴侯康侯多所論著，又善草隸之藝。子以妙年之秀，固能綜覽義旨，而軌式模範矣。雖舅氏隆盛，而孤貧守約，心安陋巷，體服菲薄，余甚奇之。若乃清才儁茂，盛德日新，吾見其進，未見其已也。既藉三葉世親之恩，而子之姑，余之伉儷焉。往歲卒於德宫里。喪服同次，綢繆累月，苟人必有心，此亦款誠之至也。不幸短命，春秋二十九，元康九年夏五月己亥卒。嗚呼哀哉！乃作誄曰：

伊子之先，弈葉熙隆。惟祖惟曾，載揚休風。顯考康侯，無禄早終。名器雖光，

勳業未融。篤生吾子，誕茂淑姿。克岐克嶷，知章知微。鉤深探賾，味道研機。匪直也人，邦家之輝。子之遘閔，曾未齔髫。如彼危根，當此衝猋。德之休明，靡幽不喬。弱冠流芳，儁聲清劭。爾舅惟榮，爾宗惟瘁。幼秉殊操，違豐安匱。撰録先訓，俾無隕墜。舊文新藝，罔不必肄。潘楊之穆，有自來矣。矧乃今日，慎終如始。爾休爾戚，如實在己。視予猶父，不得猶子。敬亦既篤，愛亦既深。雖殊其年，實同厥心。日昃景西，望子朝陰。如何短折，背世湮沈。嗚呼哀哉！

寢疾彌留，守兹孝友。臨命忘身，顧戀慈母。哀哀慈母，痛心疾首。嗷嗷同生，悽悽諸舅。春蘭擢莖，方茂其華。荆寶挺璞，將剖于和。含芳委耀，毀璧摧柯。嗚呼仲武，痛哉柰何！德宫之艱，同次外寢。惟我與爾，對筵接枕。自時迄今，曾未盈稔。姑姪繼隕，何痛斯甚。嗚呼哀哉！

披帙散書，屢覩遺文。有造有寫，或草或真。執玩周復，想見其人。紙勞于手，涕沾于巾。龜筮既襲，埏隧既開。痛矣楊子！與世長乖。朝濟洛川，夕次山隈。歸鳥頡頏，行雲徘徊。臨穴永訣，撫櫬盡哀。遺形莫紹，增慟余懷。魂兮往矣，梁木實摧。嗚呼哀哉！

昭明文選卷五十七

【誄下】

夏侯常侍誄一首并序　潘安仁

夏侯湛，字孝若，譙人也。少知名，弱冠辟太尉府，賢良方正徵，仍爲太子舍人，尚書郎，野王令，中書郎，南陽相。家艱乞還。頃之，選爲太子僕，未就命而世祖崩。天子以爲散騎常侍，從班列也。春秋四十有九，元康元年夏五月壬辰，寢疾，卒于延喜里第。嗚呼哀哉！乃作誄曰：

禹錫玄珪，實曰文命。克明克聖，光啓夏政。其在于漢，邁勳惟嬰。思弘儒業，小大雙名。顯祖曜德，牧兗及荆。父守淮岱，治亦有聲。英英夫子，灼灼其儁。飛辯摛藻，華繁玉振。如彼隨和，發彩流潤。如彼錦繢，列素點絢。人見其表，莫測其裏。徒謂吾生，文勝則史。心照神交，唯我與子。且歷少長，逮觀終始。子之承親，孝齊閔參。子之友悌，和如瑟琴。事君直道，與朋信心。雖實唱高，猶賞爾音。

弱冠厲翼，羽儀初升。公弓既招，皇輿乃徵。內贊兩宮，外宰黎蒸。忠節允著，清風載興。泱彼樂都，寵子惟王。設官建輔，妙簡邦良。用取喉舌，相爾南陽。惠訓不倦，視民如傷。乃眷北顧，辭祿延喜。余亦偃息，無事明時。疇昔之遊，二紀于玆。班白攜手，何歡如之！居吾語汝，衆實勝寡。人惡儁異，俗疵文雅。執戟疲楊，長沙投賈。無謂爾高，耻居物下。子乃洗然，變色易容。慨焉歎曰：道固不同。爲仁由己，匪我求蒙。誰毀誰譽？何去何從？莫涅匪緇，莫磨匪磷。予獨正色，居屈志申。雖不爾以，猶致其身。獻替盡規，媚兹一人。讜言忠謀，世祖是嘉。將僕儲皇，奉轡承華。先朝末命，聖列顯加。入侍帝闈，出光厥家。我聞積善，神降之吉。宜享遐紀，長保天秩。如何斯人，而有斯疾。曾未知命，中年隕卒。嗚呼哀哉！

唯爾之存，匪爵而貴。甘食美服，重珍兼味。臨終遺誓，永錫爾類。斂以時襲，殯不簡器。誰能拔俗，生盡其養？孰是養生，而薄其葬？淵哉若人！縱心條暢。傑操明達，困而彌亮。柩輅既祖，容體長歸。存亡永訣，逝者不追。望子舊車，覽爾遺衣。愊抑失聲，迸涕交揮。非子爲慟，吾慟爲誰？嗚呼哀哉！

日往月來，暑退寒襲。零露沾凝，勁風淒急。慘爾其傷，念我良執。適子素館，撫孤相泣。前思未弭，後感仍集。積悲滿懷，逝矣安及！嗚呼哀哉！

馬汧督誄一首并序

潘安仁

惟元康七年秋九月十五日，晉故督守關中侯扶風馬君卒。嗚呼哀哉！初，雍部之內屬羌反，未弭，而編戶之氐又肆逆焉。雖王旅致討，終於殄滅，而蜂蠆有毒，驟失小利，俾百姓流亡，頻於塗炭。建威喪元於好畤，州伯宵遁乎大谿。若夫偏師裨將之殞首覆軍者，蓋以十數；剖符專城，紆青拖墨之司，奔走失其守者，相望於境。秦隴之僭，鞏更爲魁，既已襲汧而館其縣。子以眇爾之身，介乎重圍之裏；率寡弱之衆，據十雉之城。群氐如蝟毛而起，四面雨射城中。城中鑿穴而處，負戶而汲。木石將盡，樵蘇乏竭，芻蕘罄絶。於是乎發梁棟而用之，罥以鐵鏁機關，既縱礧而又升焉。爨陳焦之麥，柿梠桷之松。用能薪芻不匱，人畜取給，青煙傍起，歷馬長鳴。凶醜駭而疑懼，乃闕地而攻。子命穴浚壍，寘壺鐳瓶甀以偵之。將穿，響作，內焚穬火薰之，潛氐殲焉。久之，安西之救至，竟免虎口之厄，全數百萬石之積，文契書於幕府。

聖朝疇咨，進以顯秩，殊以幢蓋之制。而州之有司，乃以私隷數口，穀十斛，考訊吏兵，以櫝楚之辭連之。大將軍屢抗其疏，曰：『敦固守孤城，獨當群寇，以少禦衆，載離寒暑，臨危奮節，保穀全城。而雍州從事，忌敦勳效，極推小疵，非所以褒獎元功。宜解敦禁劾假授。』詔書遽許，而子固已下獄發憤而卒也。朝廷聞而傷之，策書曰：『皇帝咨故督守關中侯馬敦，忠勇果毅，率厲有方，固守孤城，危逼獲濟。寵秩未加，不幸喪亡，朕用悼焉。今追贈牙門將軍印綬，祠以少牢。』魂而有靈，嘉茲寵榮。然絜士之聞穢，其庸致思乎？若乃下吏之肆其噤害，則皆妬之徒也。嗟乎！妬之欺善，抑亦貿首之讎也。語曰：『或戒其子，愼無爲善。』言固可以若是，悲夫！

昔乘丘之戰，縣賁父御魯莊公，馬驚敗績。賁父曰：『他日未嘗敗績，而今敗績，是無勇也。』遂死之。圉人浴馬，有流矢在白肉。公曰：『非其罪也。』乃誄之。漢明帝時，有司馬叔持者，白日於都市手劒父讎，視死如歸。亦命史臣班固而爲之

誄。然則忠孝義烈之流，慷慨非命而死者，綴辭之士，未之或遺也。天子既已策而贈之，微臣託乎舊史之末，敢闕其文哉？乃作誄曰：

知人未易，人未易知。嗟茲馬生，位末名卑。西戎猾夏，乃奮其奇。保此汧城，救我邊危。彼邊奚危？城小粟富。子以眇身，而裁其守。兵無加衛，墉不增築。棽棽群狄，豺虎競逐。鞏更恣睢，潛跱官寺。齊萬虓闞，震驚台司。聲勢沸騰，種落煽熾。旌旗電舒，戈矛林植。彤珠星流，飛矢雨集。惴惴士女，號天以泣。爨麥而炊，負户以汲。累卵之危，倒懸之急。

馬生爰發，在險彌亮。精冠白日，猛烈秋霜。稜威可厲，懦夫克壯。霑恩撫循，寒士挾纊。蠢蠢犬羊，阻衆陵寡。潛隧密攻，九地之下。愜愜窮城，氣若無假。昔命懸天，今也惟馬。惟此馬生，才博智贍。偵以瓶壺，剫以長壍。鍤未見鋒，火以起焰。薰尸滿窟，棓穴以斂。木石匱竭，其積空虛。瞯然馬生，傲若有餘。罥梁爲礧，柿松爲芻。守不乏械，歷有鳴駒。哀哀建威，身伏斧質。悠悠烈將，覆軍喪器。戎釋我徒，顯誅我帥。以生易死，疇克不二。聖朝西顧，關右震惶。分我汧庾，化爲寇糧。實賴夫子，思謇彌長。咸使有勇，致命知方。

我雖末學，聞之前典。十世宥能，表墓旌善。思人愛樹，甘棠不翦。矧乃吾子，功深疑淺。兩造未具，儲隸蓋鮮。孰是勳庸，而不獲免？猾哉部司，其心反側。斲善害能，醜正惡直。牧人逶迤，自公退食。聞穢鷹揚，曾不戢翼。忘爾大勞，猜爾小利。苟莫開懷，于何不至？慨慨馬生，琅琅高致。發憤囹圄，沒而猶眡。嗚呼哀哉！

安平出奇，破齊克完。張孟運籌，危趙獲安。汧人賴子，猶彼談單。如何吝嫉，搖之筆端？傾倉可賞，矧云私粟？狄隸可頒，况曰家僕？剔子雙龜，貫以三木。功存汧城，身死汧獄。凡爾同圍，心焉摧剝。扶老攜幼，街號巷哭。嗚呼哀哉！

明明天子，旌以殊恩。光光寵贈，乃牙其門。司勳頒爵，亦兆後昆。死而有靈，庶慰冤魂。嗚呼哀哉！

陽給事誄一首并序

顏延年

惟永初三年十一月十一日，宋故寧遠司馬、濮陽太守彭城陽君卒。嗚呼哀哉！

瓚少稟志節，資性忠果，奉上以誠，率下有方。朝嘉其能，故授以邊事。永初之末，

佐守滑臺。值國禍荐臻，王略中否。獯虜間釁，劘剥司兗；幽并騎弩，屯逼鞏洛。列營緣戍，相望屠潰。瓚奮其猛鋭，志不違難，立乎將卒之間，以緝華裔之衆。罷困相保，堅守四旬，上下力屈，受陷勍寇。士師奔擾，棄軍争免。而瓚誓命沈城，佻身飛鏃，兵盡器竭，斃于旗下。非夫貞壯之氣，勇烈之志，豈能臨敵引義，以死徇節者哉！景平之元，朝廷聞而傷之，有詔曰：『故寧遠司馬、濮陽太守陽瓚，滑臺之逼，厲誠固守，投命徇節，在危無撓，古之烈士，無以加之。可贈給事中，振卹遺孤，以慰存亡。』追寵既彰，人知慕節，河汴之間，有義風矣。逮元嘉廓祚，聖神紀物，光昭茂緒，旌録舊勳，苟有概於貞孝者，實事感於仁明。末臣蒙固，側聞至訓，敢詢諸前典，而爲之誄。其辭曰：

貞不常祐，義有必甄。處父勤君，怨在登賢。苦夷致果，題子行間。忠壯之烈，宜自爾先。舊勳雖廢，邑氏遂傳。惟邑及氏，自温徂陽。狐續既降，晉族弗昌。之子之生，立績宋皇。拳猛沈毅，温敏肅良。如彼竹栢，負雪懷霜。如彼騑駟，配服驂衡。

邊兵喪律，王略未恢。函陝堙阻，瀍洛蒿萊。朔馬東騖，胡風南埃。路無歸轊，野有委骸。帝圖斯艱，簡兵授才。寔命陽子，佐師危臺。憬彼危臺，在滑之坰。周衛是交，鄭翟是争。昔惟華國，今實邊亭。憑巘結關，負河縈城。金柝夜擊，和門晝扃。料敵厭難，時惟陽生。

凉冬氣勁，塞外草衰。逷矣獯虜，乘障犯威。鳴驥横厲，霜鏑高翬。軼我河縣，俘我洛畿。攢鋒成林，投鞍爲圍。翳翳窮壘，嗷嗷群悲。師老變形，地孤援闊。卒無半菽，馬實拑秣。守未焚衝，攻已濡褐。烈烈陽子，在困彌達。勉慰痍傷，拊巡饑渴。力雖可窮，氣不可奪。義立邊疆，身終鋒栝。嗚呼哀哉！

賁父殞節，魯人是志。汧督效貞，晉策攸記。皇上嘉悼，思存寵異。于以贈之，言登給事。疏爵紀庸，恤孤表嗣。嗟爾義士，沒有餘喜。嗚呼哀哉！

陶徵士誄一首并序

顔延年

夫璿玉致美，不爲池隍之寳；桂椒信芳，而非園林之實。豈其深而好遠哉？蓋云殊性而已。故無足而至者，物之藉也；隨踵而立者，人之薄也。若乃巢高之抗

行，夷皓之峻節，故已父老堯禹，錙銖周漢，而緜世浸遠，光靈不屬，至使菁華隱沒，芳流歇絕，不其惜乎！雖今之作者，人自爲量，而首路同塵，輟塗殊軌者多矣。豈所以昭末景，汎餘波！

有晉徵士尋陽陶淵明，南岳之幽居者也。弱不好弄，長實素心。學非稱師，文取指達。在衆不失其寡，處言愈見其默。少而貧病，居無僕妾。井臼弗任，藜菽不給。母老子幼，就養勤匱。遠惟田生致親之議，追悟毛子捧檄之懷。初辭州府三命，後爲彭澤令。道不偶物，棄官從好。遂乃解體世紛，結志區外，定迹深棲，於是乎遠。灌畦鬻蔬，爲供魚菽之祭；織絇緯蕭，以充糧粒之費。心好異書，性樂酒德，簡棄煩促，就成省曠。殆所謂國爵屏貴，家人忘貧者與？有詔徵爲著作郎，稱疾不到。春秋若干，元嘉四年月日，卒于尋陽縣之某里。近識悲悼，遠士傷情。冥默福應，嗚呼淑貞！

夫實以誄華，名由謚高，苟允德義，貴賤何筭焉？若其寬樂令終之美，好廉克己之操，有合謚典，無愆前志。故詢諸友好，宜謚曰靖節徵士。其辭曰：

物尚孤生，人固介立。豈伊時遘，曷云世及？嗟乎若士！望古遥集。韜此洪族，蔑彼名級。睦親之行，至自非敦。然諾之信，重於布言。廉深簡絜，貞夷粹溫。和而能峻，博而不繁。依世尚同，詭時則異。有一於此，兩非默置。豈若夫子，因心違事？畏榮好古，薄身厚志。世霸虚禮，州壤推風。孝惟義養，道必懷邦。人之秉彝，不隘不恭。爵同下士，禄等上農。度量難鈞，進退可限。長卿棄官，稚賓自免。子之悟之，何悟之辯？賦詩歸來，高蹈獨善。亦既超曠，無適非心。汲流舊巘，葺宇家林。晨烟暮藹，春煦秋陰。陳書輟卷，置酒絃琴。居備勤儉，躬兼貧病。人否其憂，子然其命。隱約就閑，遷延辭聘。非直也明，是惟道性。糾纆斡流，冥漠報施。孰云與仁？實疑明智。謂天蓋高，胡諐斯義？履信曷憑？思順何寘。年在中身，疢維痁疾。視死如歸，臨凶若吉。藥劑弗嘗，禱祀非恤。傃幽告終，懷和長畢。嗚呼哀哉！

敬述靖節，式尊遺占。存不願豐，沒無求贍。省訃却賻，輕哀薄斂。遭壤以穿，旋葬而窆。嗚呼哀哉！

深心追往，遠情逐化。自爾介居，及我多暇。伊好之洽，接閻鄰舍。宵盤晝憩，非舟非駕。念昔宴私，舉觴相誨。獨正者危，至方則礙。哲人卷舒，布在前載。取鑒不遠，吾規子佩。爾實愀然，中言而發。違衆速尤，迕風先蹶。身才非實，榮聲有歇。叡音永矣，誰箴余闕？嗚呼哀哉！仁焉而終，智焉而斃。黔婁既沒，展禽亦逝。其在先生，同塵往世。旌此靖節，加彼康惠。嗚呼哀哉！

宋孝武宣貴妃誄一首并序

謝希逸

惟大明六年夏四月壬子，宣貴妃薨。律谷罷煖，龍鄉輟曉。照車去魏，聯城辭趙。皇帝痛掖殿之既閟，悼泉途之已宮。巡步檐而臨蕙路，集重陽而望椒風。嗚呼哀哉！

天寵方降，王姬下姻。肅雍揆景，陟屺爰臻。國軫喪淑之傷，家凝霣庇之怨。敢撰德於旃旒，庶圖芳於鍾萬。其辭曰：

玄丘烟熅，瑤臺降芬。高唐渫雨，巫山鬱雲。誕發蘭儀，光啓玉度。望月方娥，瞻星比婺。毓德素里，棲景宸軒。處麗絺綌，出懋蘋蘩。脩詩賁道，稱圖照言。翼訓姒幄，贊軌堯門。綢繆史館，容與經闈。陳風緝藻，臨彖分微，游藝殫數，撫律窮機。躊躇冬愛，怊悵秋暉。展如之華，寔邦之媛。敬勤顯陽，肅恭崇憲。奉榮維約，承慈以遜。逮下延和，臨朋違怨。祚靈集祉，慶藹迎祥。皇胤瓊式，帝女金相。聯跗齊穎，接蕚均芳。以蕃以牧，燭代輝梁。視朔書氛，觀臺告祲。八頌扃和，六祈輟滲。衡總滅容，翬翟毀衽。掩綵瑤光，收華紫禁。嗚呼哀哉！

帷軒夕改，軿輅晨遷。離宮天邃，別殿雲懸。靈衣虛襲，組帳空煙。巾見餘軸，匣有遺絃。嗚呼哀哉！

移氣朔兮變羅紈，白露凝兮歲將闌。庭樹驚兮中帷響，金釭曖兮玉座寒。純孝擗其俱毀，共氣摧其同欒。仰昊天之莫報，怨凱風之徒攀。茫昧與善，寂寥餘慶。喪過乎哀，棘實滅性。世覆沖華，國虛淵令。嗚呼哀哉！

題湊既肅，龜筮既辰。階撤兩奠，庭引雙輴。維慕維愛，曰子曰身。慟皇情於容物，崩列辟於上旻。崇徽章而出寰甸，照殊策而去城闉。嗚呼哀哉！

經建春而右轉，循閶闔而逕渡。旌委鬱於飛飛，龍逶遲於步步。鏘楚挽於槐

風，喝邊簫於松霧。涉姑繇而環迴，望樂池而顧慕。嗚呼哀哉！

晨輼解鳳，曉蓋俄金。山庭寢日，隧路抽陰。重扃閟兮燈已黯，中泉寂兮此夜深。銷神躬于壤末，散靈魄於天潯。響乘氣兮蘭馭風，德有遠兮聲無窮。嗚呼哀哉！

【哀上】

哀永逝文一首

潘安仁

啓夕兮宵興，悲絶緒兮莫承。俄龍輴兮門側，嗟俟時兮將升。嫂姪兮慞惶，慈姑兮垂矜。聞鳴雞兮戒朝，咸驚號兮撫膺。逝日長兮生年淺，憂患衆兮歡樂尠。彼遥思兮離居，歎河廣兮宋遠。今奈何兮一舉，邈終天兮不反！

盡余哀兮祖之晨，揚明燎兮援靈輴。徹房帷兮席庭筵，舉酹觴兮告永遷。悽切兮增欷，俯仰兮揮淚。想孤魂兮眷舊宇，視倏忽兮若髣髴。徒髣髴兮在慮，靡耳目兮一遇。停駕兮淹留，徘徊兮故處。周求兮何獲？引身兮當去。

去華輂兮初邁，馬迴首兮旋旆。風泠泠兮入帷，雲霏霏兮承蓋。烏俯翼兮忘林，魚仰沫兮失瀨。悵悵兮遲遲，遵吉路兮凶歸。思其人兮已滅，覽餘跡兮未夷。昔同塗兮今異世，憶舊歡兮增新悲。謂原隰兮無畔，謂川流兮無岸。望山兮寥廓，臨水兮浩汗。視天日兮蒼茫，面邑里兮蕭散。匪外物兮或改，固歡哀兮情换。嗟潛隧兮既敞，將送形兮長往。委蘭房兮繁華，襲窮泉兮朽壤。

中慕叫兮擗摽，之子降兮宅兆。撫靈櫬兮訣幽房，棺冥冥兮埏窈窕。户闔兮燈滅，夜何時兮復曉？歸反哭兮殯宫，聲有止兮哀無終。是乎非乎何皇？趣一遇兮目中。既遇目兮無兆。曾寤寐兮弗夢。既顧瞻兮家道，長寄心兮爾躬。

重曰：已矣！此蓋新哀之情然耳。渠懷之其幾何？庶無愧兮莊子。

昭明文選卷五十八

【哀下】

宋文皇帝元皇后哀策文一首　顔延年

惟元嘉十七年七月二十六日，大行皇后崩于顯陽殿，粤九月二十六日，將遷座于長寧陵，禮也。龍輁纚綍，容翟結驂。皇塗昭列，神路幽嚴。皇帝親臨祖饋，躬瞻宵載。飾遺儀於組旒，淪徂音乎珩珮。悲黼筵之移御，痛翬褕之重晦。降輿客位，撤奠殯階。乃命史臣，累德述懷。其辭曰：

倫昭儷昇，有物有憑。圓精初鑠，方祇始凝。昭哉世族，祥發慶膺。秘儀景胄，圖光玉繩。昌暉在陰，柔明將進。率禮蹈和，稱詩納順。爰自待年，金聲夙振。亦既有行，素章增絢。

象服是加，言觀維則。俾我王風，始基嬪德。惠問川流，芳猷淵塞。方江泳漢，載謡南國。伊昔不造，鴻化中微。用集寶命，仰陟天機。釋位公宮，登曜紫闈。欽若皇姑，允迪前徽。孝達寧親，敬行宗祀。進思才淑，傍綜圖史。發音在詠，動容成紀。壼政穆宣，房樂韶理。坤則順成，星軒潤飾。德之所屆，惟深必測。下節震騰，上清朓側。有來斯雍，無思不極。謂道輔仁，司化莫晰。象物方臻，眡祲告沴。太和既融，收華委世。蘭殿長陰，椒塗弛衛。嗚呼哀哉！

戒涼在律，杪秋即穸。霜夜流唱，曉月升魄。八神警引，五輅遷跡。嗷嗷儲嗣，哀哀列辟。灑零玉墀，雨泗丹掖。撫存悼亡，感今懷昔。嗚呼哀哉！

南背國門，北首山園。僕人按節，服馬顧轅。遥酸紫蓋，眇泣素軒。滅綵清都，夷體壽原。邑野淪藹，戎夏悲讙。來芳可述，往駕弗援。嗚呼哀哉！

齊敬皇后哀策文一首　謝玄暉

惟永泰元年，秋九月朔日，敬皇后梓宫啓自先塋，將祔于某陵。其日，至尊親奉奠某皇帝，乃使兼太尉某設祖于行宫，禮也。翠帟舒皇，玄堂啓扉。俎徹三獻，筵卷六衣。哀子嗣皇帝，懷蜃衛而延首，想鸞輅而撫心。痛椒塗之先廓，哀長信之莫臨。身隔兩赴，時無二展。旋詔左言，光敷聖善。其辭曰：

帝唐遠冑，御龍遥緒。在秦作劉，在漢開楚。肇惟淑聖，克柔克令。清漢表靈，曾沙膺慶。爰定厥祥，徽音允穆。光華沼沚，榮曜中谷。敬始紘綖，教先穜稑。睿問川流，神襟蘭郁。

先德韜光，君道方被。于佐求賢，在謁無詖。顧史弘式，陳詩展義。厚下曰仁，藏往伊智。十亂斯俟，四教罔忒。思媚諸姑，貽我嬪則。化自公宫，遠被南國。軒曜懷光，素舒佇德。

閔予不祐，慈訓早違。方年沖藐，懷袖靡依。家臻寶業，身嗣昌暉。壽宫寂遠，清廟虚歸。嗚呼哀哉！

帝遷明命，民神胥悦。乾景外臨，陰儀内缺。空悲故劒，徒嗟金穴。璋瓚奚獻，禕褕罔設。嗚呼哀哉！

馮相告祲，宸居長往。貽厥遠圖，末命是獎。懷豐沛之綢繆兮，背神京之弘敞。陋蒼梧之不從兮，遵祔隅以同壤。嗚呼哀哉！

陳象設於園寢兮，映輿鍐於松楸。望承明而不入兮，度清洛而南遊。繼池綍於通軌兮，接龍帷於造舟。迴塘寂其已暮兮，東川澹而不流。嗚呼哀哉！

籍閟宫之遠烈兮，聞纘女之遐慶。始協德於蘋蘩兮，終配祇而表命。慕方纏於賜衣兮，哀日隆於撫鏡。思寒泉之罔極兮，託彤管於遺詠。嗚呼哀哉！

【碑文上】

郭有道碑文一首并序

蔡伯喈

先生諱泰，字林宗，太原界休人也。其先出自有周王季之穆，有虢叔者，寔有懿德，文王咨焉。建國命氏，或謂之郭，即其後也。先生誕應天衷，聰睿明哲，孝友温恭，仁篤慈惠。夫其器量弘深，姿度廣大，浩浩焉，汪汪焉，奥乎不可測已。若乃砥節厲行，直道正辭，貞固足以幹事，隱括足以矯時。遂考覽六經，探綜圖緯。周流華夏，隨集帝學。收文武之將墜，拯微言之未絶。于時纓緌之徒，紳佩之士，望形表而影附，聆嘉聲而響和者，猶百川之歸巨海，鱗介之宗龜龍也。爾乃潛隱衡門，收朋勤誨，童蒙賴焉，用袪其蔽。州郡聞德，虚己備禮，莫之能致。群公休之，遂辟司徒掾，又舉有道，皆以疾辭。將蹈鴻涯之遐跡，紹巢許之絶軌，翔區外以舒翼，超天

衢以高峙。稟命不融，享年四十有二，以建寧二年正月乙亥卒。

凡我四方同好之人，永懷哀悼，靡所寘念。乃相與惟先生之德，以謀不朽之事。僉以爲先民既沒，而德音猶存者，亦賴之於見述也。今其如何而闕斯禮！於是樹碑表墓，昭銘景行，俾芳烈奮于百世，令問顯於無窮。其辭曰：

於休先生，明德通玄。純懿淑靈，受之自天。崇壯幽浚，如山如淵。禮樂是悅，詩書是敦。匪惟摭華，乃尋厥根。宮牆重仞，允得其門。懿乎其純，確乎其操。洋洋搢紳，言觀其高。棲遲泌丘，善誘能教。赫赫三事，幾行其招。委辭召貢，保此清妙。降年不永，民斯悲悼。爰勒茲銘，摛其光耀。嗟爾來世，是則是效。

陳太丘碑文一首 并序

蔡伯喈

先生諱寔，字仲弓，潁川許人也。含元精之和，應期運之數。兼資九德，總脩百行。於鄉黨則恂恂焉，彬彬焉，善誘善導，仁而愛人，使夫少長咸安懷之。其爲道也，用行舍藏，進退可度，不徼訐以干時，不遷貳以臨下。四爲郡功曹，五辟豫州，六辟三府，再辟大將軍，宰聞喜半歲，太丘一年。德務中庸，教敦不肅。政以禮成，化行有謐。會遭黨事，禁固二十年，樂天知命，澹然自逸。交不諂上，愛不瀆下。見機而作，不俟終日。及文書赦宥，時年已七十，遂隱丘山，懸車告老，四門備禮，閑心靜居。大將軍何公，司徒袁公，前後招辟，使人曉喻，云欲特表，便可入踐常伯，超補三事，紆佩金紫，光國垂勳。先生曰：『絕望已久，飾巾待期而已。』皆遂不至。弘農楊公，東海陳公，每在衮職，群寮賀之，皆舉手曰：『潁川陳君，絕世超倫，大位未躋，慙於臧文竊位之負。』故時人高其德，重乎公相之位也。

年八十有三，中平三年八月丙午，遭疾而終。臨沒顧命，留葬所卒，時服素棺，槨財周櫬，喪事惟約，用過乎儉。群公百寮，莫不咨嗟，巖藪知名，失聲揮涕。大將軍吊祠，錫以嘉謚，曰：『徵士陳君，稟嶽瀆之精，苞靈曜之純。天不憖遺老，俾屏我王，梁崩哲萎，于時靡憲。搢紳儒林，論德謀跡，謚曰文範先生。』傳曰：『郁郁乎文哉。』書曰：『洪範九疇，彝倫攸叙。』文爲德表，範爲士則，存誨沒號，不亦宜乎！三公遣令史祭以中牢。刺史敬吊。太守南陽曹府君命官作誄曰：『赫矣陳君，命世是生。含光醇德，爲士作程。資始既正，守終又令。奉禮終沒，休矣清聲！遺

官屬掾吏，前後赴會，刊石作銘。府丞與比縣會葬。荀慈明、韓元長等五百餘人，緦麻設位，哀以送之。遠近會葬，千人已上。河南尹种府君臨郡，追歎功德，述録高行，以爲遠近鮮能及之，重部大掾，以時成銘。斯可謂存榮沒哀，死而不朽者已。乃作銘曰：

峩峩崇嶽，吐符降神；於皇先生，抱寶懷珍。如何昊穹，既喪斯文。微言圮絶，來者曷聞。交交黄鳥，爰集于棘。命不可贖，哀何有極！

褚淵碑文一首 并序

王仲寶

夫太上有立德，其次有立功，此之謂不朽。所以子產云亡，宣尼泣其遺愛；隨武既沒，趙文懷其餘風。於文簡公見之矣。公諱淵，字彦回，河南陽翟人也。微子以至仁開基，宋叚以功高命氏。爰逮兩漢，儒雅繼及；魏晉以降，弈世重暉。乃祖太傅元穆公，德合當時，行比州壤。深識臧否，不以毀譽形言；亮采王室，每懷冲虛之道。可謂婉而成章，志而晦者矣。

自茲厥後，無替前規，建官惟賢，軒冕相襲。公稟川嶽之靈暉，含珪璋而挺曜。和順内凝，英華外發。神茂初學，業隆弱冠。是以仁經義緯，敦穆於閨庭；金聲玉振，寥亮於區寓。孝敬淳深，率由斯至；盡歡朝夕，人無閒言。逍遥乎文雅之囿，翺翔乎禮樂之場。風儀與秋月齊明，音徽與春雲等潤。韻宇弘深，喜愠莫見其際；心明通亮，用人言必由於己。汪汪焉，洋洋焉，可謂澄之不清，撓之不濁。袁陽源才氣高奇，綜覈精裁；宋文帝端明臨朝，鑒賞無昧。袁既延譽於遐邇，文亦訂婚於皇家。選尚餘姚公主，拜駙馬都尉。漢結叔高，晉姻武子，方斯蔑如也。

釋褐著作佐郎，轉太子舍人。濯纓登朝，冠冕當世；升降兩宮，實惟時寶。具瞻之範既著，台衡之望斯集。出參太宰軍事，入爲太子洗馬，俄遷秘書丞。贊道槐庭，司文天閣；光昭諸侯，風流籍甚。以父憂去職，喪過乎哀，幾將毀滅。有識留感，行路傷情。

服闋，除中書侍郎。王言如絲，其出如綸。恪居官次，智效惟穆。于時新安王寵冠列蕃，越敷邦教，毗佐之選，妙盡國華。出爲司徒右長史，轉尚書吏部郎。執銓以平，御煩以簡，裴楷清通，王戎簡要，復存於茲。泰始之初，入爲侍中。曾不移朔，

遷吏部尚書。是時天步初夷，王途尚阻，元戎啓行，衣冠未緝。内贊謀謨，外康流品。制勝既遠，涇渭斯明。賞不失勞，舉無失德。績簡帝心，聲敷物聽。事寧，領太子右衛率，固讓不拜，尋領驍騎將軍。以帷幄之功，膺庸祗之秩，封雩都縣開國伯，食邑五百户。既秉辭粱之分，又懷寢丘之志，所受田邑，不盈百井。

久之，重爲侍中，領右衛將軍。盡規獻替，均山甫之庸；緝熙王旅，兼方叔之望。丹陽京輔，遠近攸則；吴興襟帶，實惟股肱；頻作二守，並加蟬冕。政以禮成，民是以息。明皇不豫，儲后幼沖，貽厥之寄，允屬時望。徽爲吏部尚書，領衛尉，固讓不拜。改授尚書右僕射。端流平衡，外寬内直。弘二八之高謩，宣由庚而垂詠。太宗即世，遺命以公爲散騎常侍、中書令、護軍將軍。送往事居，忠貞允亮。秉國之均，四方是維。百官象物而動，軍政不戒而備。公之登太階而尹天下，君子以爲美談，亦猶孟軻致欣於樂正，羊職悦賞於士伯者也。

丁所生母憂，謝職。毁疾之重，因心則至。朝議以有爲爲之，魯侯垂式；存公忘私，方進明準。爰降詔書，敦還攝任。固請移歲，表奏相望。事不我與，屈己弘化。屬值三季在辰，戚蕃内侮；桂陽失圖，窺窬神器。鼓棹則滄波振蕩，建旗則日月蔽虧。出江派而風翔，入京師而雷動。嗚控弦於宗稷，流鋒鏃於象魏。雖英宰臨戎，元渠時殄；而餘黨寔繁，宫廟憂逼。公乃揔熊羆之士，不貳心之臣，戮力盡規，克寧禍亂。康國祚於綴旒，拯王維於已墜。誠由太祖之威風，抑亦仁公之翼佐。可謂德刑詳，禮義信，戰之器也。以靜難之功，進爵爲侯，兼授尚書令、中軍將軍，給班劍二十人。功成弗有，固秉撝挹。改授侍中、中書監，護軍如故。又以居母艱去官。雖事緣義感，而情均天屬。顔丁之合禮，二連之善喪，亦曷以踰！

天厭宋德，水運告謝。嗣王荒怠於天位，彊臣憑陵於荆楚。廢昏繼統之功，龕亂寧民之德，公實仰贊宏規，參聞神筭。雖無受賑出車之庸，亦有甘寢秉羽之績。乃作司空，山川攸序；兼授衛軍，戎政輯睦。

既而齊德龍興，順皇高禪。深達先天之運，匡贊奉時之業。弼諧允正，徽猷弘遠，樹之風聲，著之話言，亦猶稷、契之臣虞、夏，荀、裴之奉魏、晉。自非坦懷至公，永鑒崇替，孰能光輔五君，寅亮二代者哉！大啓南康，爰登中鉉；時膺土宇，固辭

邦教。今之尚書令，古之冢宰，雖秩輕於衮司，而任隆於百辟。暫遂沖旨，改授朝端。邇無異言，遠無異望。帝嘉茂庸，重申前册。執五禮以正民，簡八刑而罕用。故能騁績康衢，延慈哲后。義在資敬，情同布衣；出陪鑾蹕，入奉帷殿。仰南風之高詠，餐東野之祕寶。雅議於聽政之晨，披文於宴私之夕。參以酒德，間以琴心。曖有餘暉，遥然留想。君垂冬日之温，臣盡秋霜之戒，肅肅焉，穆穆焉。於是見君親之同致，知在三之如一。太祖升遐，綢繆遺寄。以侍中、司徒録尚書事。稟玉几之顧，奉綴衣之禮。擇皇齊之令典，致聲化於雍熙。内平外成，實昭舊職。增給班劒三十人，物有其容，徽章斯允。位尊而禮卑，居高而思降。自夏徂秋，以疾陳退。朝廷重違謙光之旨，用申超世之尚，改授司空，領驃騎大將軍，侍中録尚書如故。

景命不永，大漸彌留。建元四年八月二十一日薨于私第，春秋四十有八。昔柳莊疾棘，衛君當祭而輟禮；晏嬰既往，齊君趍車而行哭。公之云亡，聖朝震悼於上，群后恇動於下，豈唯哀纏一國，痛深一主而已哉！追贈太宰，侍中録尚書如故，給節羽葆鼓吹，班劒爲六十人，謚曰文簡，禮也。

夫乘德而處，萬物不能害其貞；虚己以遊，當世不能擾其度。均貴賤於條風，忘榮辱於彼我。然後可兼善天下，聊以卒歲。經始圖終，式免祗悔。誰云克備，公實有焉。是以義結君子，惠霑庶類。言象所未形，述詠所不盡。故吏某甲等，感逝川之無捨，哀清暉之眇默。餐輿誦於丘里，瞻雅詠於京國。思衛鼎之垂文，想晉鍾之遺則。方高山而仰止，刊玄石以表德。其辭曰：

辰精感運，昴靈發祥。元首惟明，股肱惟良。天鑒璿曜，踵武前王。欽若元輔，體微知章。永言必孝，因心則友。仁洽兼濟，愛深善誘。觀海齊量，登嶽均厚。五臣兹六，八元斯九。内謨帷幄，外曜台階。遠無不肅，邇無不懷。如風之偃，如樂之諧。光我帝典，緝彼民黎。率禮蹈謙，諒實身幹。跡屈朱軒，志隆衡館。眇眇玄宗，萋萋辭翰。義既川流，文亦霧散。嵩構云頹，梁陰載缺。德猷靡嗣，儀形長遞。怊悵餘徽，鏘洋遺烈。久而彌新，用而不竭。

昭明文選卷五十九

【碑文下】

頭陁寺碑文一首　王簡棲

蓋聞挹朝夕之池者，無以測其淺深；仰蒼蒼之色者，不足知其遠近。況視聽之外，若存若亡；心行之表，不生不滅者哉！是以掩室摩竭，用啓息言之津；杜口毗邪，以通得意之路。然語彝倫者，必求宗於九疇；談陰陽者，亦研幾於六位。是故三才既辨，識妙物之功；萬象已陳，悟太極之致。言之不可以已，其在茲乎！然爻繫所筌，窮於此域；則稱謂所絶，形乎彼岸矣。彼岸者，引之於有，則高謝四流。推之於無，則俯弘六度。名言不得其性相，隨迎不見其終始，不可以學地知，不可以意生及，其涅盤之蘊也。

夫幽谷無私，有至斯響；洪鍾虛受，無來不應。況法身圓對，規矩冥立；一音稱物，宫商潛運。是以如來利見迦維，託生王室。憑五衍之軾，拯溺逝川；開八正之門，大庇交喪。於是玄關幽揵，感而遂通；遥源濬波，酌而不竭。行不捨之檀，而施洽群有；唱無緣之慈，而澤周萬物；演勿照之明，而鑒窮沙界；導亡機之權，而功濟塵劫。時義遠矣！能事畢矣！然後拂衣雙樹，脱屣金沙。惟恍惟惚，不皦不昧，莫繫於去來，復歸於無物。因斯而談，則棲遑大千，無爲之寂不撓；焚燎堅林，不盡之靈無歇。大矣哉！

正法既没，象教陵夷。穿鑿異端者，以違方爲得一；順非辯僞者，比微言於目論。於是馬鳴幽讚，龍樹虛求，並振頹綱，俱維絶紐。蔭法雲於真際，則火宅晨凉；曜慧日於康衢，則重昏夜曉。故能使三十七品有樽俎之師；九十六種無藩籬之固。既而方廣東被，教肆南移。周魯二莊，親昭夜景之鑒；漢晉兩明，並勒丹青之飾。然後遺文間出，列刹相望，澄、什結轍於山西，林、遠肩隨乎江左矣。

頭陀寺者，沙門釋慧宗之所立也。南則大川浩汗，雲霞之所沃蕩。北則層峯削成，日月之所迴薄。西眺城邑，百雉紆餘。東望平皋，千里超忽。信楚都之勝地也。

宗法師行絜珪璧，擁錫來遊。以爲宅生者緣，業空則緣廢；存軀者惑，理勝則惑

亡。遂欲捨百齡於中身，殉肌膚於猛鷙，班荊蔭松者久之。宋大明五年，始立方丈茅茨，以庇經像。後軍長史江夏内史會稽孔府君諱覬，爲之薙草開林，置經行之室。安西將軍郢州刺史江安伯濟陽蔡使君諱興宗，復爲崇基表刹，立禪誦之堂焉。以法師景行大迦葉，故以頭陀爲稱首。後有僧勤法師，貞節苦心，求仁養志，纂脩堂宇，未就而沒。高軌難追，藏舟易遠。僧徒闃其無人，榱椽毁而莫構。可爲長太息矣！

惟齊繼五帝洪名，紐三王絶業。祖武宗文之德，昭升嚴配；格天光表之功，弘啓興服。是以惟新舊物，康濟多難；步中雅頌，驟合韶護；炎區九譯，沙場一候。粤在於建武焉。乃詔西中郎將郢州刺史江夏王，觀政藩維，樹風江漢，擇方城之令典，酌龜蒙之故實。政肅刑清，於是乎在。寧遠將軍長史江夏内史行事彭城劉府君，諱諠，智刃所遊，日新月故；道勝之韻，虚往實歸。以此寺業廢於已安，功墜於幾立，慨深覆簣，悲同棄井。因百姓之有餘，間天下之無事，庀徒揆日，各有司存。於是民以悦來，工以心競。亘丘被陵，因高就遠。層軒延袤，上出雲霓。飛閣逶迤，下臨無地。夕露爲珠網，朝霞爲丹雘。九衢之草千計，四照之花萬品。崖谷共清，風泉相涣。金資寶相，永藉閑安；息心了義，終焉遊集。法師釋曇珍，業行淳脩，理懷淵遠，今屈知寺任，永奉神居。夫民勞事功，既鏤文於鍾鼎；言時稱伐，亦樹碑於宗廟。世彌積而功宣，身逾遠而名劭。敢寓言於彫篆，庶髣髴於衆妙。其辭曰：

質判玄黄，氣分清濁。涉器千名，含靈萬族。淳源上派，澆風下黷。愛流成海，情塵爲岳。皇矣能仁，撫期命世。乃睠中土，聿來迦衛。奄有大千，遂荒三界。殷鑒四門，幽求六歲。亦既成德，妙盡無爲。帝獻方石，天開淥池。祥河輟水，寶樹低枝。通莊九折，安步三危。川靜波澄，龍翔雲起。耆山廣運，給園多士。金粟來儀，文殊戾止。應乾動寂，順民終始。法本不然，今則無滅。象正雖闌，希夷未缺。於昭有齊，式揚洪烈。釋網更維，玄津重枻。惟此名區，禪慧攸託。倚據崇巖，臨睨通壑。溝池湘漢，堆阜衡霍。膴膴亭皐，幽幽林薄。

媚兹邦后，法流是挹。氣茂三明，情超六入。眷言靈宇，載懷興葺。丹刻翬飛，

輪奐離立。象設既闢，睟容已安。桂深冬燠，松踈夏寒。神足遊息，靈心往還。勝幡西振，貞石南刊。

齊故安陸昭王碑文一首

沈休文

公諱緬，字景業，南蘭陵人也。稷契身佐唐虞，有大功於天地。商武姬文，所以膺圖受籙。蕭曹扶翼漢祖，滅秦項以寧亂。魏氏乘時於前，皇齊握符於後。靈源與積石争流，神基與極天比峻。祖宣皇帝，雄才盛烈，名蓋當時。考景皇帝，含道居貞，卷懷前代。公含辰象之秀德，體河岳之上靈，氣蘊風雲，身負日月。立行可模，置言成範。英華外發，清明内昭。天經地義之德，因心必盡；簡久遠大之方，率由斯至。挹其源者游泳而莫測，懷其道者日用而不知。昭昭若三辰之麗于天，滔滔猶四瀆之紀于地。六幽允洽，一德無爽。萬物仰之而彌高，千里不言而斯應。若夫彈冠出仕之日，登庸莅事之年，軍麾命服之序，監督方部之數，斯固國史之所詳，今可得略也。

水德方衰，天命未改。太祖龍躍俟時，作鎮淮泗。如仁夕惕之志，中夜九迴；

龕世拯亂之情，獨用懷抱。深圖密慮，衆莫能窺。公陪奉朝夕，從容左右，蓋同王子洛濱之歲，實惟辟彊内侍之年。起予聖懷，發言中旨。始以文學遊梁，俄而入掌綸誥。蘭桂有芬，清暉自遠。帝出于震，日衣青光。方軌茅社，俾侯安陸；受瑞析珪，遂荒雲野。式掌儲命，帝難其人，公以宗室羽儀，允膺嘉選。協隆三善，仰敷四德。慱望之苑載暉，龍樓之門以峻。獻替帷扆，實掌喉唇。奉待漏之書，銜如絲之旨。前暉後光，非止恒受。公以密戚上賢，俄而奉職，出納惟允，劒璽增華。伊昔帝唐，九官咸事，熊豹臨戭，納言是司。自此迄今，其任無爽。爰自近侍，式贊權衡。而皇情眷眷，慮深求瘼。

姑蘇奥壤，任切關河，都會殷負，提封百萬。全趙之袨服叢臺，方此爲劣；臨淄之揮汗成雨，曾何足稱。乃鴻騫舊吴，作守東楚。弘義讓以勗君子，振平惠以字小人。撫同上德，綏用中典。疑獄得情而弗喜，宿訟兩讓而同歸。雖春申之大啓封疆，鄧攸之緝熙萌庶，不能尚也。夏首藩要，任重推轂，衿帶中流，地殷江漢。南接衡巫，風雲之路千里；西通鄢鄧，水陸之塗三七。是惟形勝，閫外莫先。建麾作牧，

臨街衢，接響傳聲，不踰時而達于四境。夷羣戎落，幽遠必至，望城拊膺，震動郛邑，並求入奉靈櫬，藩司抑而不許。雖鄧訓致劈面之哀，羊公深罷市之慕，對而爲言，遠有慙德。神駕東還，號送踰境。奉觴奠以望靈，仰蒼天而自訴。震響成雷，盈塗咽水。

公臨危審正，載惟話言。楚囊之情，惟幾而彌固；衛魚之心，身亡而意結。二宫軫慟，遐邇同哀。追贈侍中領衛將軍，給鼓吹一部，謚曰昭侯。時皇上納麓在辰，登庸伊始，允副朝端，兼掌屯衛。聞凶哀震，感絶移時。因遘沈痾，緜留氣序。世祖日夜憂懷，備盡寬譬。勉膳禁哭，中使相望。上雖外順皇旨，内殷私痛，獨居不御酒肉，坐卧泣涕霑衣。若此移年，癯瘠改貌。天倫之愛，振古莫儔。及俯膺天眷，入纂絶業，分命懿親，台牧並建。對繁弱以流涕，望曲阜而含悲。改贈司徒，因謚爲郡王，禮也。

惟公少而英明，長而弘潤。風標秀舉，清暉映世。學徧書部，特善玄言。鞶帨之麗，篆籀之則。窮六義於懷抱，究八體於毫端。奕思之微，秋儲無以競巧；取睽之妙，流睇未足稱奇。至公以奉上，鳴謙以接下。撫僚庶盡盛德之容，交士林忘公侯之貴。虚懷博約，幽關洞開。宴語談笑，情瀾不竭。譽滿天下，德冠生民。蓋百代之儀表，千年之領袖。曾不慭留，梁摧奄及。豈唯僑終蹇謝，興謡輟相而已哉！凡我僚舊，均哀共戚。怨天德之無厚，痛棠陰之不留。思所以克播遺塵，弊之穹壤，乃刊石圖徽，寄情銘頌。其辭曰：

天命玄鳥，降而生商。是開金運，祚始玉筐。三仁去國，五曜入房。亦白其馬，侯服周王。

本枝泒別，因菜命氏。涉徐而東，義均梁徙。自兹以降，懷青拕紫。崇基巖巖，長瀾瀰瀰。

惟聖造物，龍飛天步。載鼎載革，有除有布。高皇赫矣，仰膺乾顧。景皇蒸哉，實啓洪祚。

喬嶽峻峙，命世興賢。膺期誕德，絶後光前。幾以成務，覺在民先。位非大寶，爵乃上天。

爰始濯纓，清猷浚發。升降文陛，逶迤魏闕。惠露沾吳，仁風扇越。涉夏踰漢，政成朞月。

用簡必從，日新爲盛。在上哀矜，臨下莊敬。草木不夭，昆蟲得性。我有芳蘭，民胥攸詠。

群夷蠢蠢，巖別嶂分。傾山盡落，其從如雲。挈妻荷子，負戴成群。迴首請吏，曾何足云！

昔聞天道，仁罔不遂。彼蒼如何，興山止簣？四牡方馳，六龍頓轡。斯民曷仰，邦國殄瘁。

齊殞晏平，行哭致禮。趙徂昌國，列邦揮涕。況我君斯，皇之介弟。哀感徒庶，慟與雲陛。

階毀留攢，川汎歸軸。競羞野奠，爭攀去轂。遵渚號追，臨波望哭。無絕終古，惟蘭與菊。

塗由帝渚，朱軒靡駕。東首塋園，即宮長夜。逝川無待，黄金難化。鍾石徒刊，芳猷永謝。

【墓誌】

劉先生夫人墓誌一首

任彥升

既稱萊歸，亦曰鴻妻；復有令德，一與之齊。實佐君子，簪蒿杖藜；欣欣負載，在冀之畦。

居室有行，亟聞義讓。稟訓丹陽，弘風丞相。籍甚二門，風流遠尚。肇允才淑，閫德斯諒。

蕪沒鄭鄉，寂寞楊冢。參差孔樹，毫末成拱。暫啓荒埏，長扃幽隴。夫貴妻尊，匪爵而重。

昭明文選卷六十

【行狀】

齊竟陵文宣王行狀一首　祖太祖高皇帝　父世祖武皇帝　任彦昇

南徐州南蘭陵郡縣都鄉中都里蕭公年三十五行狀。

公道亞生知，照隣幾庶。孝始人倫，忠爲令德，公實體之，非毁譽所至。天才博贍，學綜該明。至若曲臺之禮，九師之易。樂分龍趙，詩析齊韓。陳農所未究，河閒所未輯。有一於此，罔不兼綜者與！昔沛獻訪對於雲臺，東平齊聲於楊史，淮南取貴於食時，陳思見稱於七步，方斯蔑如也。

初，沈攸之跋扈上流，稱亂陝服。宋鎮西晉熙王、南中郎邵陵王，並鎮盆口。世祖毗贊兩藩，而任揔西伐。公時從在軍，鎮西府版寧朔將軍軍主，南中郎版補行參軍署法曹。于時景燭雲火，風馳羽檄；謀出股肱，任切書記。遷左軍邵陵王主簿記室參軍。既允棼林之求，實兼儀形之寄。刀筆不足宣功，風體所以弘益。除邵陵王友，又爲安南邵陵王長史。東夏形勝，關河重複，選衆而舉，敦悅斯在。除使持節，都督會稽、東陽、臨海、永嘉、新安五郡諸軍事，輔國將軍，會稽太守。

太祖受命，廣樹藩屏。公以高昭武穆，惟戚惟賢；封聞喜縣開國公，食邑千户。又奏課連最，進號冠軍將軍。越人之巫，覩正風而化俗；篁竹之酋，感義讓而失險。邪叟忘其西昊，龍丘狹其東皋。會武穆皇后崩，公星言奔波，泣血千里，水漿不入於口者，至自禹穴。逮衣裳外除，心哀内疚，禮屈於厭降，事迫於權奪，而茹戚肌膚，沈痛瘡距。故知鍾鼓非樂云之本，縗麤非隆殺之要。改授征虜將軍、丹陽尹。良家入徙，戚里内屬。政非一軌，俗備五方。公内樹寬明，外施簡惠，神皋載穆，轂下以清。

武皇帝嗣位，進封竟陵郡王，食邑加千户。復授使持節、都督南徐兖二州諸軍事、鎮北將軍、南徐州刺史。還使持節侍中、都督南兖、徐、北兖、青、冀五州諸軍事、征北將軍、南兖州刺史。兖徐接壤，素漸河潤，未及下車，仁聲先洽。玉關靖柝，北門寢扃。朝旨以董司岳牧，敷興邦教，方任雖重，比此爲輕。徵護軍將軍、兼司徒

侍中如故。又授車騎將軍、兼司徒侍中如故。即授司徒侍中又如故。上穆三能，下敷五典。闢玄闈以闡化，寢鳴鍾以體國。翼亮孝治，緝熙中教。奪金耻訟，蹊田自嘿。不雕其朴，用晦其明。聲化之有倫，緊公是賴。庠序肇興，儀形國胄，師氏之選，允師人範。以本官領國子祭酒，固辭不拜。八座初啓，以公補尚書令。式是敷奏，百揆時序。夫國家之道，互爲公私；君親之義，遞爲隱犯。公二極一致，愛敬同歸，亮誠盡規，謀猷弘遠矣。又授使持節、都督揚州諸軍事、揚州刺史，本官悉如故。舊惟淮海，今則神牧，編户殷阜，萌俗繁滋，不言之化，若門到户說矣。頃之，解尚書令，改授中書監，餘悉如故。獻納樞機，絲綸允緝。武皇晏駕，寄深負圖。公仰惟國典，俛遵遺託，俯擗天倫，踊絶于地。居處之節，復如居武穆之憂。

聖主嗣興，地居旦奭。有詔策授太傅，領司徒，餘悉如故。坐而論道，動以觀德；地尊禮絶，親賢莫貳。又詔加公入朝不趨，讚拜不名，劒履上殿。蕭傅之賢，曹馬之親，兼之者公也。復以申威重道，增崇德統，進督南徐州諸軍事，餘悉如故。並奏疏累上，身歿讓存。天不憖遺，梁岳頹峻，某年某月日薨，春秋三十有五。詔給温明秘器，斂以衮章，備九命之禮，遣大鴻臚監護喪事，朝夕奠祭，太官供給，禮也。故以慟極津門，感充長樂，豈徒舂人不相，傾壚罷肆而已哉！乃下詔曰：『褒崇庸德，前王之令典，追遠尊戚，沿情之所隆。故使持節都督揚州諸軍事、中書監、太傅、領司徒、揚州刺史、竟陵王、新除進督南徐州，體睿履正，神監淵邈。道冠民宗，具瞻惟允。肇自弱齡，孝友光備。爰及贊契，協升景業。爕和台曜，五教克宣。敷奏朝端，百揆惟穆。寄重先顧，任均負圖。諒以齊徽二南，同規往哲。方憑保祐，永翼雍熙。天不憖遺，奄見薨落。哀慕抽割，震動于厥心。今先遠戒期，龜謀襲吉。茂崇嘉制，式弘風猷。可追崇假黄鉞、侍中、都督中外諸軍事、太宰、領大將軍、揚州牧，緑綟綬，具九錫服命之禮。使持節中書監王如故。給九旒鑾輅，黄屋左纛，轀輬車，前後部羽葆鼓吹，挽歌二部，虎賁班劒百人，葬禮一依晉安平獻王孚故事。』

公道識虚遠，表裏融通，淵然萬頃，直上千仞。僕妾不覩其喜愠，近侍莫見其傾弛。他人之善，若己有之。民之不臧，公實貽恥。誘接恂恂，降以顔色，方於事上，好下規己，而廉於殖財，施人不倦。帝子儲季，令行禁止，國網天憲，寔諸掌握。未

嘗鞠人於輕刑，錮人於重議。人有不及，内恕諸己。非意相干，每爲理屈。任天下之重，體生民之俊。華衮與緼緒同歸，山藻與蓬茨俱逸。良田廣宅，符仲長之言；邛山洛水，協應叟之志。丘園東國，錙銖軒冕。乃依林構宇，傍巖拓架。清猨與壺人爭旦，緹幕與素瀨交輝。置之虚室，人野何辨。高人何點，躡屩於鍾阿；徵士劉虬，獻書於衛岳。贈以古人之服，弘以度外之禮，屈以好事之風，申其趨王之意。乃知大春屈己於五王，君大降節於憲后，致之有由也。其卉木之奇，泉石之美，公所製山居四時序，言之已詳。

文皇帝養德東朝，同符作者。爰造九言，實該百行。導衿禰於未萌，申烱戒於兹日。非直旦暮千載，故乃萬世一時也。命公注解，衛將軍王儉綴而序之。山宇初搆，超然獨往，顧而言曰：死者可歸，誰與入室？尚想前良，俾若神對。乃命畫工，圖之軒牖。既而緬屬賢英，傍思才淑，匹婦之操，亦有取焉。有客游梁朝者，從容而進曰：未見好德，愚竊惑焉。即命刊削，投杖不暇。公以爲出言自口，驥騄不追；聽受一謬，差以千里。所造箴銘，積成卷軸，門階户席，寓物垂訓。先是震于外寢，匠者以爲不祥，將加治葺。公曰：此天譴也，無所改修，以記吾過，且令戒懼不怠。從諫如順流，虚己若不足。至於言窮藥石，若味滋旨；信必由中，貌無外悦。貴而好禮，怡寄典墳。雖牽以物役，孜孜無怠。乃撰《四部要略》、《净住子》，並勒成一家，懸諸日月。弘洙泗之風，闡迦維之化。大漸彌留，話言盈耳，黜殯之請，至誠懇惻。豈古人所謂立言於世，没而不朽者歟！易名之典，請遵前烈。謹狀。

【弔文】

弔屈原文一首并序

賈誼

誼爲長沙王太傅，既以謫去，意不自得，及渡湘水，爲賦以弔屈原。屈原，楚賢臣也，被讒放逐，作《離騷賦》，其終篇曰：『已矣哉！國無人兮，莫我知也。』遂自投汨羅而死。誼追傷之，因自喻。其辭曰：

恭承嘉惠兮，俟罪長沙。側聞屈原兮，自沈汨羅。造託湘流兮，敬吊先生。遭世罔極兮，乃殞厥身。嗚呼哀哉！逢時不祥！鸞鳳伏竄兮，鴟梟翱翔。闒茸尊顯兮，讒諛得志。賢聖逆曳兮，方正倒植。世謂隨夷爲溷兮，謂跖蹻爲廉。莫邪爲鈍

兮，鉛刀爲銛。吁嗟默默，生之無故兮！斡棄周鼎，寶康瓠兮。騰駕罷牛，驂蹇驢兮。驥垂兩耳，服鹽車兮。章甫薦履，漸不可久兮。嗟苦先生，獨離此咎兮！

訊曰：已矣！國其莫我知兮，獨壹鬱其誰語？鳳漂漂其高逝兮，固自引而遠去。襲九淵之神龍兮，沕深潛以自珍。偭蟂獺以隱處兮，夫豈從蝦與蛭螾？所貴聖人之神德兮，遠濁世而自藏。使騏驥可得係而羈兮，豈云異夫犬羊？般紛紛其離此尤兮，亦夫子之故也！歷九州而相其君兮，何必懷此都也？鳳凰翔于千仞兮，覽德輝而下之。見細德之險徵兮，遥曾擊而去之。彼尋常之汙瀆兮，豈能容夫吞舟之巨魚？橫江湖之鱣鯨兮，固將制於螻蟻。

弔魏武帝文一首 并序

陸士衡

元康八年，機始以臺郎出補著作，遊乎祕閣，而見魏武帝遺令，愾然歎息，傷懷者久之。

客曰：夫始終者，萬物之大歸；死生者，性命之區域。是以臨喪殯而後悲，覩陳根而絶哭。今乃傷心百年之際，興哀無情之地，意者無乃知哀之可有，而未識情之可無乎？

機荅之曰：夫日食由乎交分，山崩起於朽壤，亦云數而已矣。然百姓怪焉者，豈不以資高明之質，而不免卑濁之累；居常安之勢，而終嬰傾離之患故乎？夫以迴天倒日之力，而不能振形骸之內；濟世夷難之智，而受困魏闕之下。已而格乎上下者，藏於區區之木；光于四表者，翳乎蕞爾之土。雄心摧於弱情，壯圖終於哀志。長筭屈於短日，遠迹頓於促路。嗚呼！豈特瞽史之異闕景，黔黎之怪頹岸乎？觀其所以顧命冢嗣，貽謀四子，經國之略既遠，隆家之訓亦弘。又云：『吾在軍中，持法是也。至小忿怒，大過失，不當效也。』善乎！達人之讜言矣！持姬女而指季豹，以示四子曰：『以累汝！』因泣下。傷哉！曩以天下自任，今以愛子託人。同乎盡者無餘，而得乎亡者無存。然而婉孌房闥之內，綢繆家人之務，則幾乎密與！又曰：『吾婕妤妓人，皆著銅爵臺。於臺堂上施八尺牀，繐帳，朝晡上脯糒之屬。月朝十五，輒向帳作妓。汝等時時登銅爵臺，望吾西陵墓田。』又云：『餘香可分與諸夫人。諸舍中無所爲，學作履組賣也。吾歷官所得綬，皆著藏中。吾餘衣裘，

可別爲一藏。不能者，兄弟可共分之。』既而竟分焉。亡者可以勿求，存者可以勿違，求與違不其兩傷乎？悲夫！愛有大而必失，惡有甚而必得；智惠不能去其惡，威力不能全其愛。故前識所不用心，而聖人罕言焉。若乃繫情累於外物，留曲念於閨房，亦賢俊之所宜廢乎？於是遂憤懣而獻弔云爾。

接皇漢之末緒，值王途之多違。佇重淵以育鱗，撫慶雲而遐飛。運神道以載德，乘靈風而扇威。摧群雄而電擊，舉勍敵其如遺。指八極以遠略，必翦焉而後綏。釐三才之闕典，啓天地之禁闈。舉脩網之絶紀，紐大音之解徽。掃雲物以貞觀，要萬途而來歸。丕大德以宏覆，援日月而齊暉。濟元功於九有，固舉世之所推。

彼人事之大造，夫何往而不臻。將覆簣於浚谷，擠爲山乎九天。苟理窮而性盡，豈長筭之所研。悟臨川之有悲，固梁木其必顛。當建安之三八，實大命之所艱。雖光昭於曩載，將稅駕於此年。

惟降神之縣邈，眇千載而遠期。信斯武之未喪，膺靈符而在茲。雖龍飛於文昌，非王心之所怡。憤西夏以鞠旅，泝秦川而舉旗。踰鎬京而不豫，臨渭濱而有疑。

冀翌日之云瘳，彌四旬而成災。詠歸途以反旆，登崤澠而朅來。次洛汭而大漸，指六軍曰念哉。

伊君王之赫奕，寔終古之所難。威先天而蓋世，力盪海而拔山。厄奚險而弗濟，敵何彊而不殘。每因禍以提福，亦踐危而必安。迄在茲而蒙昧，慮噤閉而無端。委軀命以待難，痛沒世而永言。撫四子以深念，循膚體而頹歎。迨營魄之未離，假餘息乎音翰。執姬女以嚬瘁，指季豹而漼焉。氣衝襟以嗚咽，涕垂睫而汍瀾。

違率土以靖寐，戢彌天乎一棺。咨宏度之峻邈，壯大業之允昌。思居終而卹始，命臨沒而肇揚。援貞咎以惎悔，雖在我而不臧。惜內顧之纏緜，恨末命之微詳。紆廣念於履組，塵清慮於餘香。結遺情之婉孌，何命促而意長！陳法服於帷座，陪窈窕於玉房。宣備物於虛器，發哀音於舊倡。矯慼容以赴節，掩零淚而薦觴。物無微而不存，體無惠而不亡。庶聖靈之響像，想幽神之復光。苟形聲之翳沒，雖音景其必藏。徽清絃而獨奏，進脯糒而誰嘗？悼繐帳之冥漠，怨西陵之茫茫。登爵臺而群悲，眝美目其何望？既晞古以遺累，信簡禮而薄葬。彼裘紱於何有，貽塵謗於後

王。嗟大戀之所存，故雖哲而不忘。覽見遺籍以慷慨，獻茲文而悽傷。

【祭文】

祭古冢文一首并序

謝惠連

東府掘城北壍，入丈餘，得古冢，上無封域，不用塼甓。以木爲槨，中有二棺，正方，兩頭無和。明器之屬，材瓦銅漆，有數十種。多異形，不可盡識。刻木爲人，長三尺，可有二十餘頭，初開見，悉是人形，以物根撥之，應手灰滅。棺上有五銖錢百餘枚，水中有甘蔗節，及梅李核瓜瓣，皆浮出，不甚爛壞。銘誌不存，世代不可得而知也。公命城者改埋於東岡，祭之以豚酒。既不知其名字遠近，故假爲之號曰冥漠君云爾。

元嘉七年九月十四日，司徒御屬領直兵令史、統作城録事、臨漳令亭侯朱林，具豚醪之祭，敬薦冥漠君之靈：

忝揔徒旅，板築是司。窮泉爲壍，聚壤成基。一槨既啓，雙棺在茲。捨畚悽愴，縱鍤漣而。芻靈已毁，塗車既摧。几筵糜腐，俎豆傾低。盤或梅李，盎或醢醢。蔗傳餘節，瓜表遺犀。追惟夫子，生自何代？曜質幾年？潛靈幾載？爲壽爲夭？寧顯寧晦？銘誌湮滅，姓字不傳。今誰子後？曩誰子先？功名美惡，如何蔑然？百堵皆作，十仞斯齊。墉不可轉，壍不可迴。黄腸既毁，便房已頽。循題興念，撫俑增哀。射聲垂仁，廣漢流渥。祠骸府阿，掩骼城曲。仰羨古風，爲君改卜。輪移北隍，窀穸東麓。壙即新營，棺仍舊木。合葬非古，周公所存。敬遵昔義，還祔雙魂。酒以兩壺，牲以特豚。幽靈髣髴，歆我犧樽。嗚呼哀哉！

祭屈原文一首

顔延年

惟有宋五年月日，湘州刺史吴郡張邵，恭承帝命，建旟舊楚。訪懷沙之淵，得捐珮之浦。弭節羅潭，艤舟汨渚。乃遣户曹掾某，敬祭故楚三閭大夫屈君之靈：

蘭薰而摧，玉縝則折。物忌堅芳，人諱明潔。曰若先生，逢辰之缺。温風怠時，飛霜急節。嬴芊遘紛，昭懷不端；謀折儀尚，貞蔑椒蘭。身絶郢闕，迹遍湘干。比物荃蓀，連類龍鸞。聲溢金石，志華日月。如彼樹芳，實穎實發。望汨心欷，瞻羅思越。藉用可塵，昭忠難闕。

祭顏光禄文一首

王僧達

維宋孝建三年。九月癸丑朔，十九日辛未，王君以山羞野酌，敬祭顏君之靈：

嗚呼哀哉！夫德以道樹，禮以仁清。惟君之懿，早歲飛聲。義窮機彖，文蔽班楊。性婞剛潔，志度淵英。登朝光國，實宋之華。才通漢魏，譽浹龜沙。服爵帝典，棲志雲阿。清交素友，比景共波。氣高叔夜，嚴方仲舉。逸翮獨翔，孤風絶侣。流連酒德，嘯歌琴緒。

遊顧移年，契闊燕處。春風首時，爰談爰賦。秋露未凝，歸神太素。明發晨駕，瞻廬望路。心悽目泫，情條雲互。涼陰掩軒，娥月寢耀。微燈動光，几牘誰炤？衾衽長塵，絲竹罷調。擥悲蘭宇，屑涕松嶠。古來共盡，牛山有淚。非獨昊天，殲我明懿。以此忍哀，敬陳奠饋。申酌長懷，顧望歔欷。嗚呼哀哉！